CONTENTS

東北大学病院式

腎臓リハビリテーションって何？

慢性腎臓病患者のための包括的治療プログラム

慢性腎臓病（CKD《シーケーディー》）は、かつては「安静にしていなくてはならない病気」とされていました。また、多くの人から「なってしまったら、もう治らない病気」「透析になるのを待つしかない病気」とも見なされてきました。

しかし、このような見方はもう過去のものです。いまは慢性腎臓病に対する治療法が大きく変化しています。慢性腎臓病への常識が「安静は禁物で、むしろ運動したほうがいい病気」「進行を抑制したり、改善させたりすることのできる病気」というように変わってきたのです。

こうした**慢性腎臓病の常識を180度変える契機となった治療メソッドが「東北大学病院式・腎臓リハビリテーション」**（腎臓リハビリ）です。

腎臓リハビリは、運動療法を中心とした「慢性腎臓病の患者さんのための包括的治療プログラム」です。

30年ほど前、私は「慢性腎臓病は安静が第一」という当時の治療指針に疑問を感じ、東北大学病院において「軽めの運動療法によって慢性腎臓病を改善させていく研究」に着手しました。

慢性腎臓病は成人の8人に1人！

日本の慢性腎臓病の患者数は、約１３３０万人です。これは、20歳以上の成人の８人に１人がこの病気に罹《かか》っていることになる数。まさに「国民病」と言っていいでしょう。

また、慢性腎臓病が進み、腎不全となって人工透析を受けている患者数は、約34万人。しかも、毎年増え続けています。ただ、早い段階で腎臓リハビリに取り組めば、透析を回避したり先延ばしにしたりすることも可能なのです。

日本の慢性腎臓病患者数
約1330万人!
なんと成人の8人に1人

日本の人工透析患者数
約34万人!

すなわち、それが腎臓リハビリ。私たちの研究は次第に認められ、21世紀に入った頃、アメリカで慢性腎臓病への運動療法の健康効果が公式に認められました。

現在では、腎臓リハビリは日本のみならず世界中の国々で実践されています。そして、世界中、多くの患者さんが運動療法で着実に慢性腎臓病を改善させて、活動的で充実した日々を送れるようになってきているのです。

なお、腎臓リハビリのメソッドは、改良を加えつついまも進化中です。今回、**本書ではストレッチバンド体操を取り入れ、多くの患者さんがより効率的に筋力トレーニングを実践できるようにした改良バージョンをご紹介していきます。**

ぜひみなさんも本書の内容を実践してみてください。そのうえで、日々体を動かして慢性腎臓病という病気に立ち向かっていくようにしましょう。

腎機能低下を防ぐだけじゃない!

腎臓リハビリの画期的な効果

筋力や体力がついて日常の行動がスムーズに

腎臓リハビリでは、運動療法が中核的な役割を果たしていますが、その他にも食事療法、水分管理、精神・心理的サポートなども幅広く行なっていきます。

そのうえで、患者さんの病気改善のみならず、生活機能や運動機能をトータル的にケアしていく総合プログラムなのです。

実際、腎臓リハビリを行なったことで、筋力や体力、心肺機能などが向上し、日常生活での行動がよりスムーズにできるようになっていく人が少なくありません。

また、これによって得られる効果は、腎機能低下を防ぐだけにとどまりません。**腎臓リハビリを行なうと、動脈硬化、心臓病、脳血管障害などをはじめ、さまざまな疾患を予防する**ことにもつながっていくのです。

みなさんも、この「腎臓リハビリ」で、より多くの健康効果を引き出していくようにしてください。

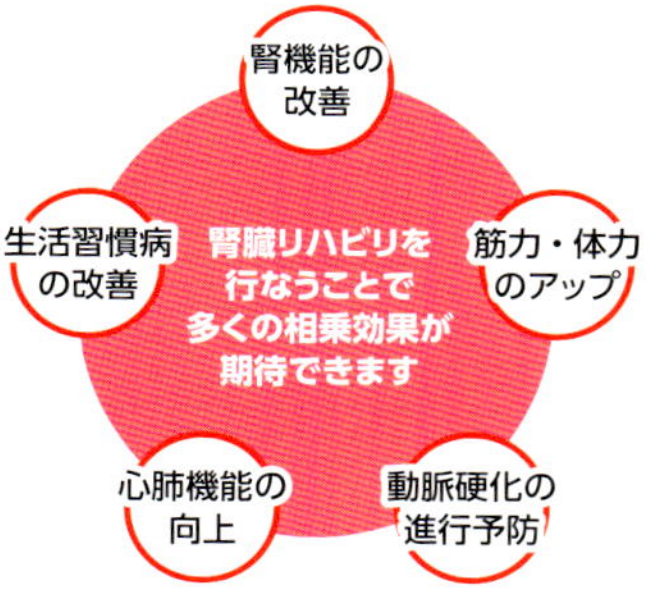

PART 1

3つの運動療法で 腎機能を改善する

体操のやり方を動画で視聴することができます。スマートフォンで QR コードを読み取るか、アドレスを直接入力してください。

https://www.nagaokashoten.co.jp/book/9784522444191

ストレッチバンドでさらに効果アップ！

3つの運動の相乗効果で病気改善

3本の柱の相乗効果で病気を防ぐ力が引き出される

今回ご紹介する腎臓リハビリの運動療法は、次の3つの柱で構成されています。

①上月流 腎臓体操

②ストレッチバンド体操

③腎活性ウォーク

これらの柱の特徴をおおまかに説明しましょう。

まず、①の「上月《こうづき》流 腎臓体操」は、簡単にできるウォーミングアップです。筋肉や関節をほぐし、体を温めて、運動するためのコンディションを整えます。ストレッチバンド体操や腎活性ウォークの前に行なうのを習慣づけるといいでしょう。

②の「ストレッチバンド体操」は、筋力をつけるためのプログラムです。「筋トレ」というと、どうしても「つらい」「苦しい」というイメージが先立ってしまい敬遠しがちな人が多いのですが、ストレッチバンド体操であれば、安全に効率よく筋肉をつけていくことが可能となります。

筋力がつくと、体力が向上したり、姿勢がよくなったり、速いスピードで歩けるようになったり

運動療法の3本柱で改善力がアップ!

とさまざまな健康効果が得られるようになります。くわしくは後ほどじっくりご紹介していくことにしましょう。

さらに、腎臓リハビリでは、有酸素運動も不可欠です。③の「腎活性ウォーク」では、1週間に150分〜180分歩くことによって、血流をよくし、血管の柔軟性を高めて、全身の病気を防ぐ力を高めていきます。

なお、これらの3つの運動は、3つを並行して行なうことで相乗効果が発揮されるように考案されています。ですから、「ストレッチバンドだけ」「ウォークだけ」ではなく、ストレッチバンドとウォークを1日置きに行なうなど、日々3つをうまく組み合わせて実践していくようにしてください。

そして、「3つの柱」の相乗効果パワーを十分に引き出しながら、病気を防ぐ力、腎機能低下を防ぐ力を高めていくようにしましょう。

運動療法

1

筋肉や関節をほぐしてウォームアップ

上月流 腎臓体操

全身のストレッチで体の可動範囲を広げていく

上月流 腎臓体操は、4つの簡単なストレッチから成るウォーミングアップ・プログラム。足、腰、背中、肩などをストレッチングして、筋肉や関節を効率的にほぐしていきます。

なお、上月流 腎臓体操やストレッチバンド体操を行なう際は、注意点として次の「ひなまつり」を心がけるようにしてください。

「ひ」…広いスペースで行なう

「な」…長く行なう（ひとつの動きに10～15秒）

「ま」…マイペースで行なう

「つ」…「ツー」と声に出し息を止めずに行なう

「り」…リラックスしてゆっくり行なう

これらを心がけつつ、体の動く範囲を少しずつ広げていくつもりで行なっていくといいでしょう。

体操を行なうときの心得

- **ひ** 広い場所で
- **な** 長く行なう（1動作を10～15秒）
- **ま** マイペースで
- **つ** 「ツー」と言いながら（息を吐くときに「ツー」と声に出す）
- **り** リラックスして

上月流 腎臓体操❶ かかとの上げ下ろし

動画でチェック

ふくらはぎの筋肉が収縮して全身の血行が促される

上げ下ろしを5～10回繰り返して1セット

1日2～3セット

① かかとを上げる

足を肩幅に開いて立ち、両手を腰に当てる。呼吸を止めないよう「ツー」と言いながら、5秒かけてゆっくりかかとを上げる。

② かかとを下ろす

かかとを上げたところで息を吸い、呼吸を止めないよう「ツー」と言いながら、5秒かけてゆっくりかかとを下げる。

ポイント

ふくらはぎの筋肉を繰り返し収縮させることによって、ポンプ作用が働いて全身の血行が促されます。簡単ではありますが、たいへん効果の高いウォームアップ・メニューです。

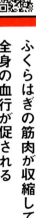

上月流 腎臓体操②

足上げ

ゆっくり足を上げ下げして、安定した強い足腰をつくる

動画でチェック

① イスにつかまって

② 足をゆっくり前へ振り上げる

片方の足を5秒かけてゆっくり振り上げる。このとき、「ツー」と言って息を吐きながら足を上げていく。

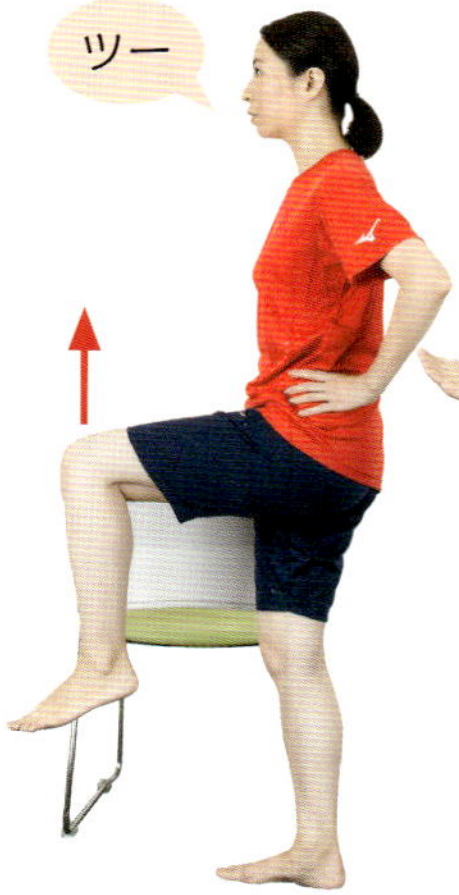

③ ひざを曲げて太ももを上げる

いったん息を吸い、「ツー」と言って息を吐きながら、5秒かけてゆっくりとひざを曲げ、太ももを上げていく。

左右3回ずつ繰り返して1セット

1日2～3セット

⑤ 元に戻り、反対側も同様に行なう

④ 足をゆっくり後ろへ振り上げる

いったん息を吸い、「ツー」と言って息を吐きながら、曲げた足を5秒かけてゆっくり下ろし、後ろへ振り上げていく。

ポイント

下半身の動きをよくするメニューです。股関節やひざ関節の動きをよくするとともに、片足立ちの状態で太ももやお尻の大きな筋肉を動かしていくことによって、安定性のある強い足腰をつくっていきます。

上月流 腎臓体操③
中腰までのスクワット

動画でチェック

体幹、太もも、ふくらはぎなどがトータル的に鍛えられる

① 両手を腰に当てて立つ

両手を腰に当て、足を肩幅に開き、両つま先を少し外側に向けて立つ。

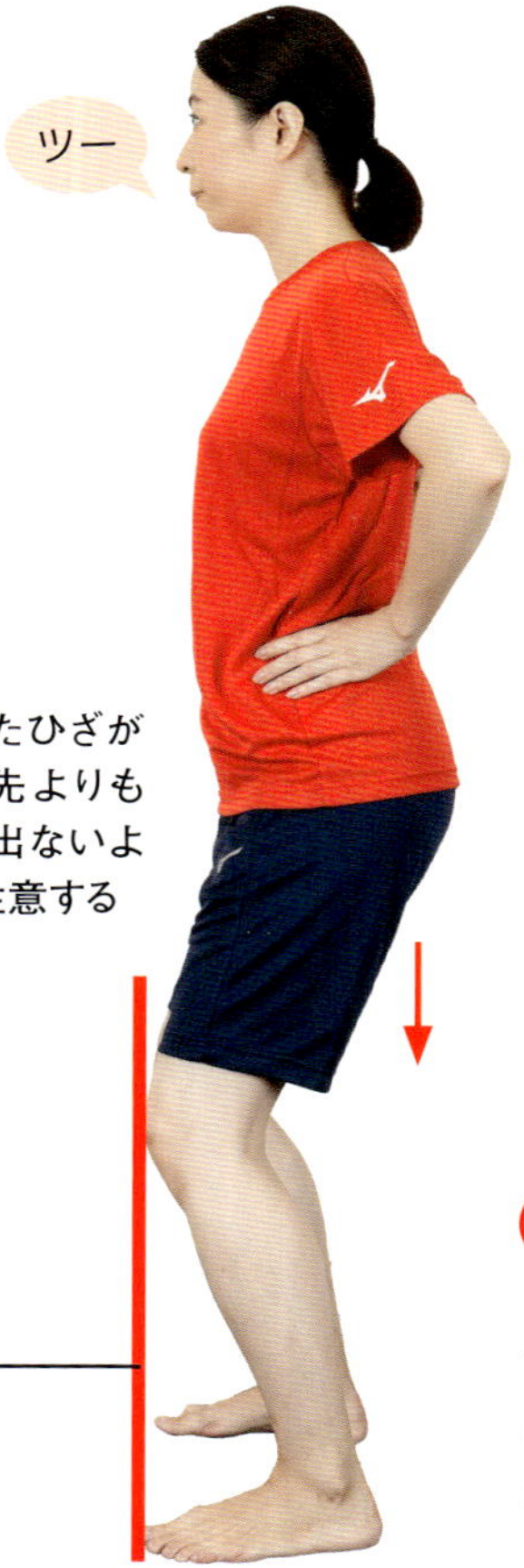

曲げたひざがつま先よりも前に出ないように注意する

② 中腰までゆっくり腰を落とす

「ツー」と言って息を吐きながら、中腰になるまで5秒かけてゆっくり腰を落とす。このとき、ひざがつま先より前に出ないように注意する。

3回繰り返して1セット

1日2〜3セット

ぐらつくときは
イスに
つかまって

鼻から息を吸い
ながら腰を上げ
ていく

ココに注意!!

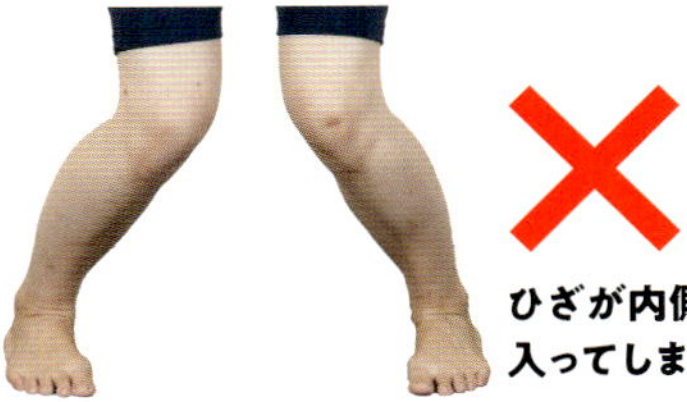

ひざが内側に
入ってしまっている

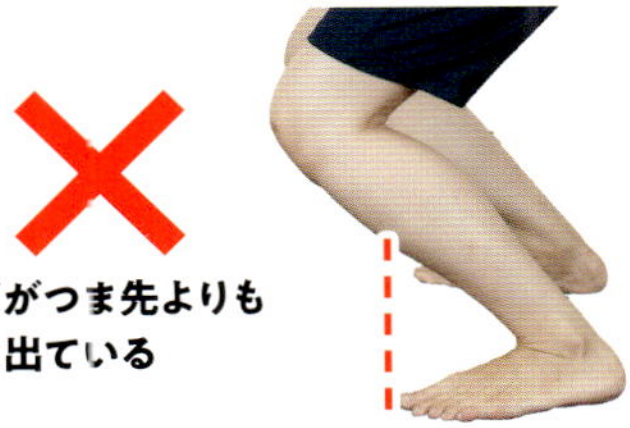

ひざがつま先よりも
前に出ている

③ ゆっくり腰を上げる

鼻から息を吸いながら、5秒かけてゆっくりひざを伸ばして腰を上げていき、①の姿勢に戻る。

ポイント

スクワットは丈夫な下半身をつくるのに、たいへん効率のいいメニューです。中腰までのスクワットで物足りない人は、深めに腰を落としてもOK。ただ、ひざや腰に痛みがある人は無理をしないようご注意ください。

上月流 腎臓体操 ④

ばんざい

動画で チェック

肩関節を大きく動かして背すじがまっすぐ伸びる

① 肩幅に足を開いて立つ

足を肩幅に開いてまっすぐ立ち、両手の先を太もものわきに添える。そのうえで、鼻からゆっくり息を吸う。

② 両腕をゆっくり上げる

「ツー」と言って息を吐きながら、5秒かけてゆっくり両腕を上げていく。この際、ばんざいをするように、前から腕を上げるといい。

3回繰り返して 1セット

1日2〜3セット

③ 腕を両耳に近づけるように伸ばす

両腕をなるべく耳に近づけて伸ばし、目一杯伸ばしたところで、いったん鼻から息を吸う。

④ ゆっくり腕を下ろす

「ツー」と言って息を吐きながら、5秒かけて腕を元の位置に戻す。

ポイント

肩の関節を大きく動かし、背中の筋肉や肩の筋肉を伸ばしていきます。これによって、背すじがまっすぐ伸び、上半身の血流がよくなります。とくに、肩こりやねこ背にお悩みの方は意識して行なうといいでしょう。

運動療法

2

筋肉を効率よく鍛える筋トレ

ストレッチバンド体操

筋力低下を防いで疲れにくい体になる

慢性腎臓病の患者さんは、運動不足によって筋肉量を低下させやすい傾向があります。

さらに、筋肉量減少は体力低下や運動機能低下に直結し、転倒骨折や寝たきりを招く大きなリスク要因ともなります。

でも、**ストレッチバンド体操を行なえば、効率よく筋肉を刺激して、筋肉量や筋力を維持したり増量したりすることができるのです。実際、ストレッチバンド体操は、病後の患者さんの筋力回復のためのリハビリテーション手段として、非常に多くの医療機関で導入されています。**

ストレッチバンド体操には「筋力低下を防ぐ」以外にもさまざまなメリットがあります。

たとえば、日常の生活動作全般がラクになり、とくに歩行がスムーズになります。きっと、歩幅

ストレッチバンド体操の4つのメリット

伸ばす長さで自分で負荷を調節できる

筋肉を効率よく鍛え、筋力低下を防げる

体への負担が少なく、簡単&安心に運動療法が行える

日常生活活動がスムーズになり、疲れにくくなる

が広がって、速いスピードで姿勢よく歩けるようになるでしょう。また、体力も向上するため、疲れを感じにくくなったり、疲れが回復しやすくなったりする効果も期待できます。

それと、**自分の裁量で負荷を調節できるのもストレッチバンドのメリット**のひとつ。二重に持ったり短く持ったりすることでバンドの強度を変え、自分に合ったレベルの体操を行なうことができるのです。そのため、これまでほとんど運動経験のないような人でも、安全に効率のいいトレーニングを行なうことができます。

さらに、ストレッチバンドを鞄に入れておけば、仕事先や旅行先でも行なうことができますし、場所も取らず、いつでもどこでも実践することが可能です。ぜひ、みなさんもこうした数々のメリットを生かして筋肉をつけ、腎臓リハビリをよりよい方向へ向かわせるようにしてください。

ストレッチバンド体操を行なう際の4つの注意点

1 ゆっくり伸ばし、ゆっくり戻す

ストレッチバンド体操は、ゆっくりとバンドを伸ばし、ゆっくりと戻すのが基本です。**5秒かけて伸ばしたとしたら、戻すときも5秒かけてください**。また、反動をつけたり勢いをつけたりしてはいけません。単純な往復運動をスローに繰り返すほうが、筋肉を鍛える効果が高くなると心得ましょう。

2 「ツー」と言いながら、呼吸を止めない

ストレッチバンド体操は、常に息を止めることなく行ないます。なかでも、バンドを引っ張るときに力むと息をこらえがちになってしまうので、**口をすぼめ、「ツー」と声に出して息を吐きながらバンドを伸ばしたり戻したりする**ようにしてください。また、息を吸うときは、鼻から吸うようにしましょう。

3 顔の位置を動かさず、背中はいつもまっすぐ

ストレッチバンド体操は、崩れた姿勢で行なうと効果が半減してしまう場合が少なくありません。だから、**バンドを伸ばすときも戻すときも、顔の位置を動かさず、背中をまっすぐにした状態をキープして行なう**ようにしてください。常によい姿勢を維持していてこそ、筋肉に正しい刺激が加わり、より効率的に筋肉を鍛えることができるのです。

4 「ややつらい」の一歩手前をキープする

ストレッチバンド体操を行なっても、ラクラクこなせるような低い負荷だと筋トレ効果は上げられません。**効果が上がる目安は、10回やって、軽く汗ばんだり息切れしたりする程度の負荷**。「ややつらい」の一歩手前くらいのレベルを目安にしましょう。体操に慣れてラクに感じるようになってきたら、少しずつ負荷を上げていくようにしてください。

※体操を行なう回数や時間を増やしたり、バンドを二重にしたりすることで負荷を上げることができます。

持ち方にも注意して！

ストレッチバンド体操を行なう際は、左のイラストのように、指の根元に巻きつけて、しっかりつかんで行なうように注意してください。また、バンドを伸ばした状態のときは、決して手を離さないようにしてください。バンドの弾力をあなどってはいけません。注意事項をしっかり守って、安全かつ効果的に体操を行なっていくようにしましょう。

●ストレッチバンドの持ち方

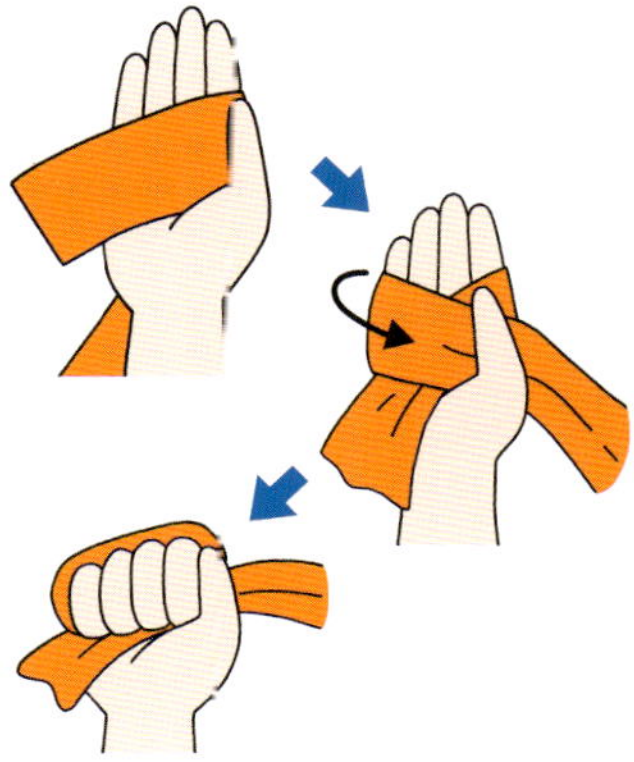

上半身

ストレッチバンド体操①
肩回りを鍛える

動画でチェック

肩と腕の動きがスムーズになり、肩こりや五十肩の予防にも役立つ

① ストレッチバンドを片足に巻き、片手で持つ

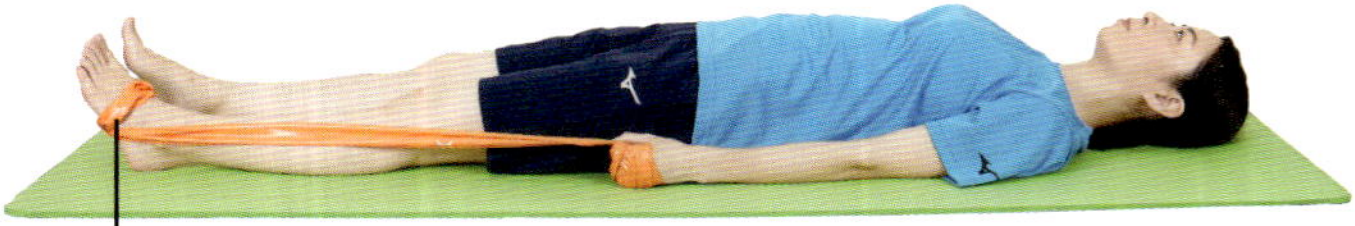

ずれないように巻きつける

バンドを片足に巻きつけ、同じ側の手で持ち、仰向けになる。

② ゆっくり腕を上げる

「ツー」と言って息を吐きながら、5秒かけてゆっくりと腕を上げる。ひじを伸ばし、腕がグラつかないよう注意しつつ、腕が床と垂直になるまで上げていく。

③ ゆっくりひじを曲げる

いったん①の姿勢に戻って呼吸を整え、「ツー」と言って息を吐きながら、5秒かけてゆっくりひじを曲げていく。顔に引きつけるように、まっすぐ引くのがコツ。

④ ゆっくり腕を横に伸ばす

いったん①の姿勢に戻って呼吸を整え、「ツー」と言って息を吐きながら、5秒かけてゆっくり腕を横へ伸ばしていく。腕がグラつかないように、水平になるまで引く。

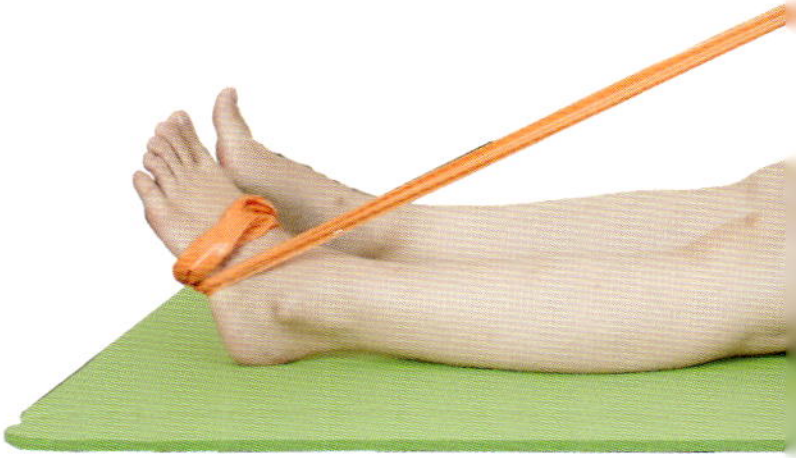

ポイント

この体操では、肩回りの筋肉や関節が効率よく鍛えられます。肩や腕がスムーズに動くようになり、物の上げ下ろしなどもラクになるでしょう。また、肩こりや五十肩の予防や解消にも役立つはずです。

左右5～10回繰り返して1セット

1日2～3セット

上半身

ストレッチバンド体操②
腕と肩を鍛える

動画でチェック

ダンベル運動のような効果が得られる

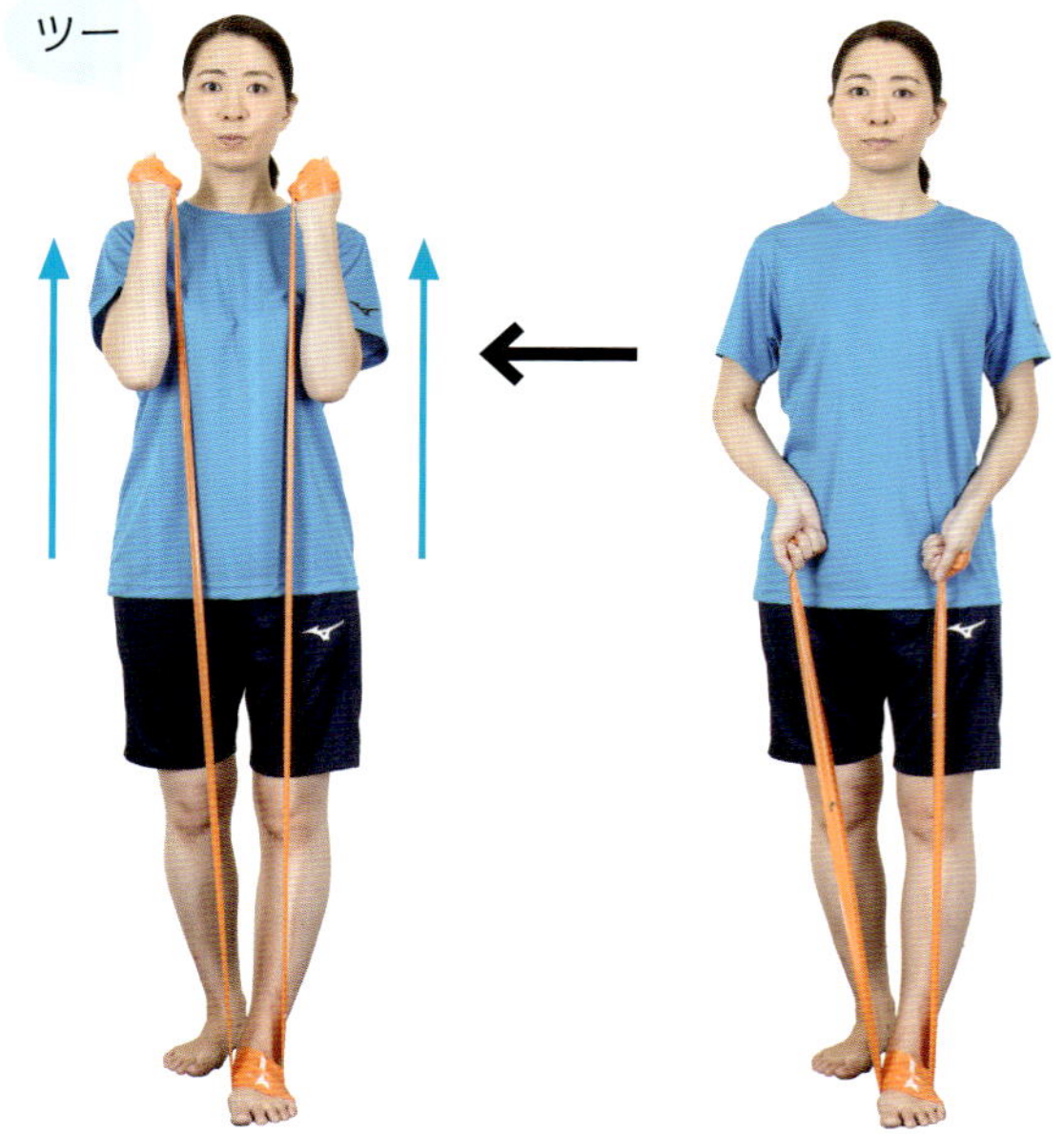

① バンドを片足に巻いて両端を持つ

ストレッチバンドを足の甲に1回巻いて、その足を軽く前に出し、バンドの両端を持ってまっすぐ立つ。

② 両手でバンドを引っ張る

ひじの位置を動かさないよう注意しつつ、「ツー」と言って息を吐きながら、5秒かけてゆっくりバンドを引っ張る。戻すときも、「ツー」と言いながら5秒かけてゆっくり戻していく。

ポイント

この体操では、腕や肩の筋肉が鍛えられます。バンドをゆっくりと引き上げ、ゆっくり戻す。その繰り返しによって、ダンベル運動のような効果が得られるのです。

5〜10回繰り返して1セット

1日2〜3セット

上半身

ストレッチバンド体操③

上半身全体を鍛える

動画でチェック

上半身が総合的に鍛えられ、姿勢をよくする効果も

① バンドを両足にかけ、両手で持つ

足を肩幅に広げ、両足にバンドを引っかける。両手でバンドを持ち、背すじを伸ばしてまっすぐ立つ。

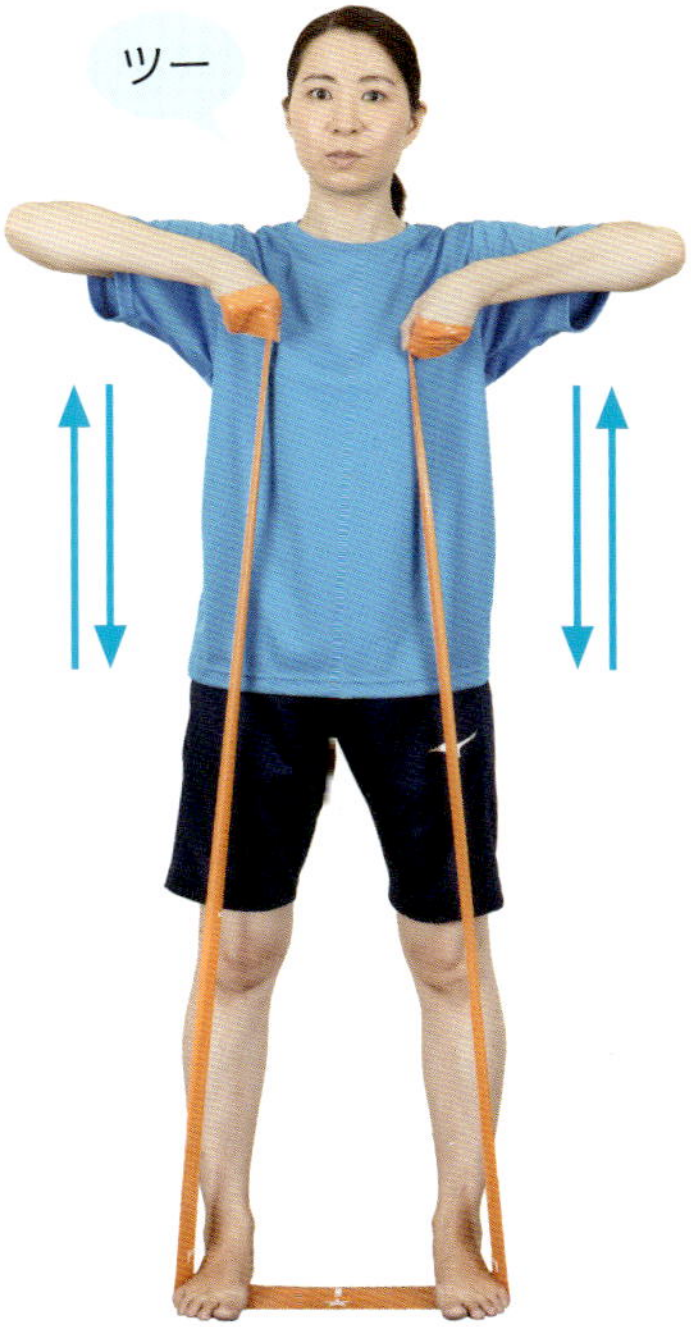

② 両手でバンドを引き上げる

「ツー」と言って息を吐きつつ、5秒かけてゆっくりバンドを引き上げる。両ひじを上げて胸まで引き上げたら、いったん息を吸い、「ツー」と言いつつ5秒かけてゆっくり元に戻す。

5〜10回繰り返して1セット

1日2〜3セット

ポイント

この体操では、腕、胸、背中など、上半身がトータル的に鍛えられます。顔の位置を動かさず、背中をまっすぐ保って行なうのがコツ。よい姿勢のキープにも効果的です。

ストレッチバンド体操①
腹筋と背筋を鍛える

動画でチェック

ボート漕ぎの要領で
腹筋や背筋を鍛えていく

① 座って両足にバンドをかける

両足を伸ばして床に座り、バンドを足裏（土踏まず）に引っかけて、バンドの両端を手で握る。体操中、背すじは常にまっすぐの状態をキープする。

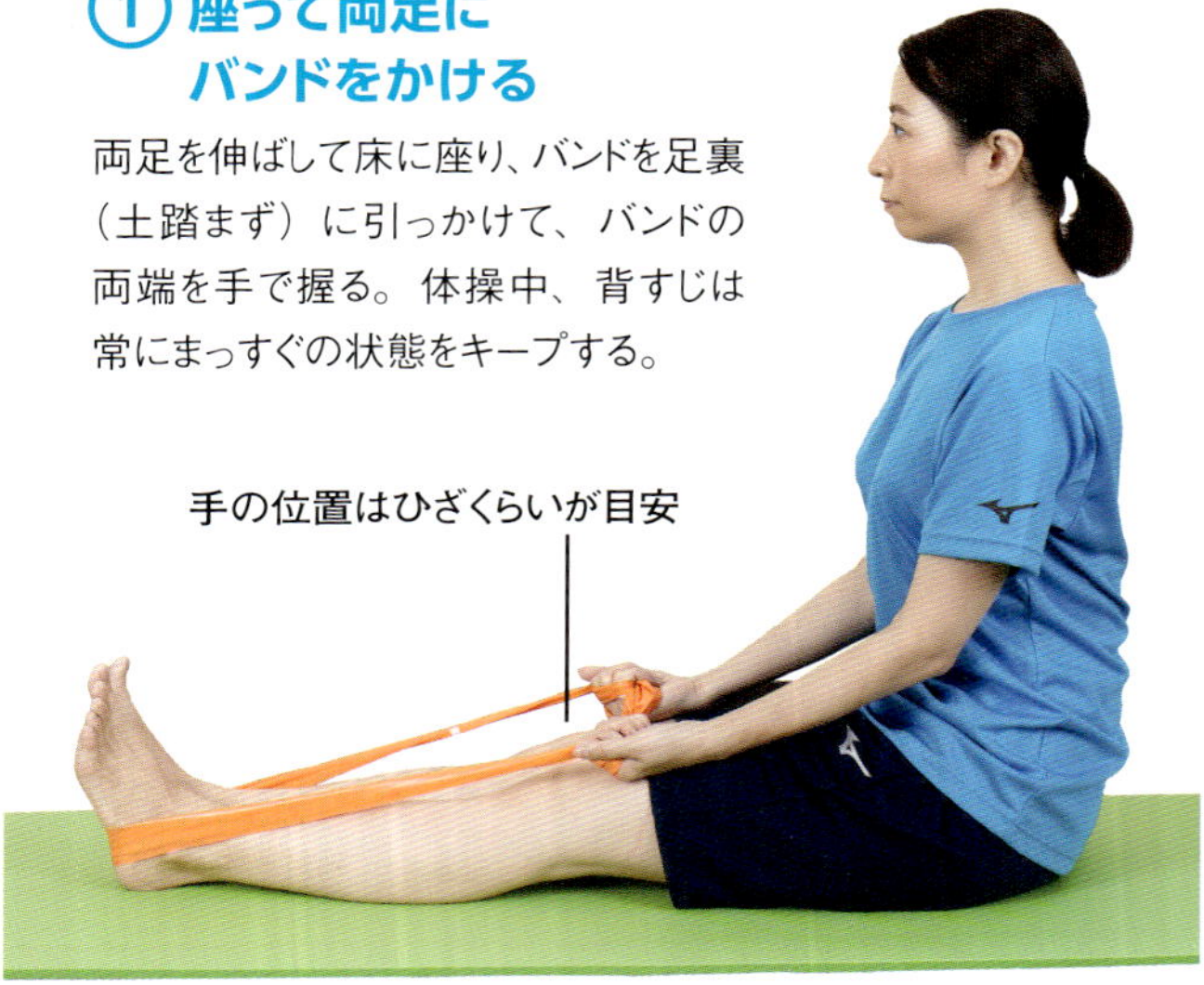

5〜10回
繰り返して
1セット

1日2〜3セット

ポイント

この体操は、ボートを漕ぐような要領で腹筋や背筋などの体幹の筋肉を鍛えます。胸を張り、背中をまっすぐにして、腕よりも体幹の筋肉を使ってバンドを引きつけるように心がけてください。背筋が鍛えられるため、ねこ背の矯正にも効果を発揮します。

② バンドをゆっくり引き寄せる

「ツー」と言って息を吐きながら、5秒かけてバンドをゆっくり体のほうへ引き寄せる。お腹まで引き寄せたらいったん息を吸い、「ツー」と言いながら5秒かけてゆっくり戻す。

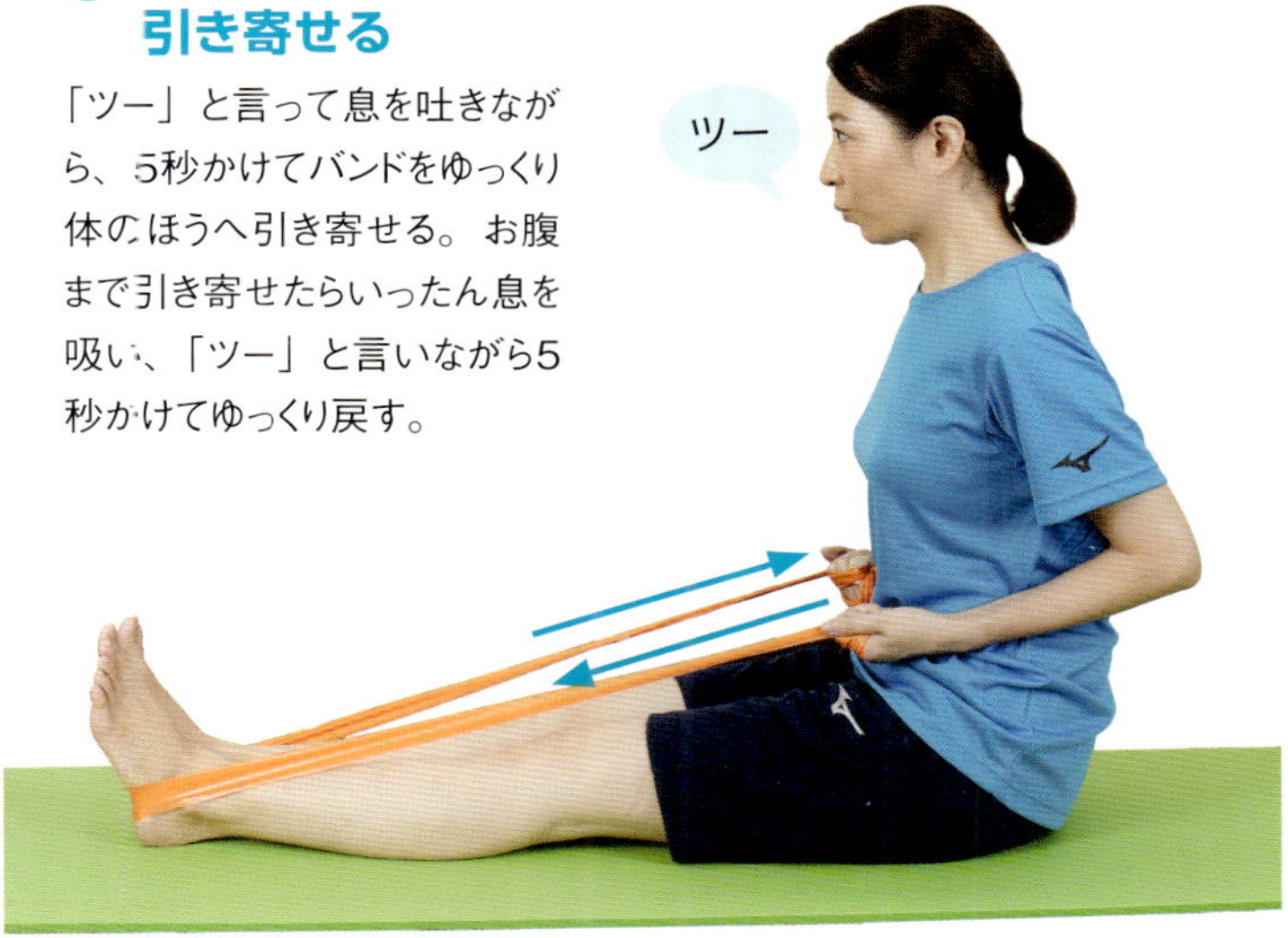

ココに注意!!

ひじを左右に張って行なうと、腕の筋肉の力で引くことになり、効果が半減してしまいます。両ひじは体につけて行ないましょう。

ねこ背の姿勢で行なうと、体幹に力が入らず、十分な効果が得られません。背中をまっすぐにして引いてこそ体幹に力が入るのです。

ストレッチバンド体操❷
腰の深部を鍛える

動画でチェック

大腰筋などの筋肉を鍛えて
より速く、力強く歩けるように

① ストレッチバンドをひざの上に巻く

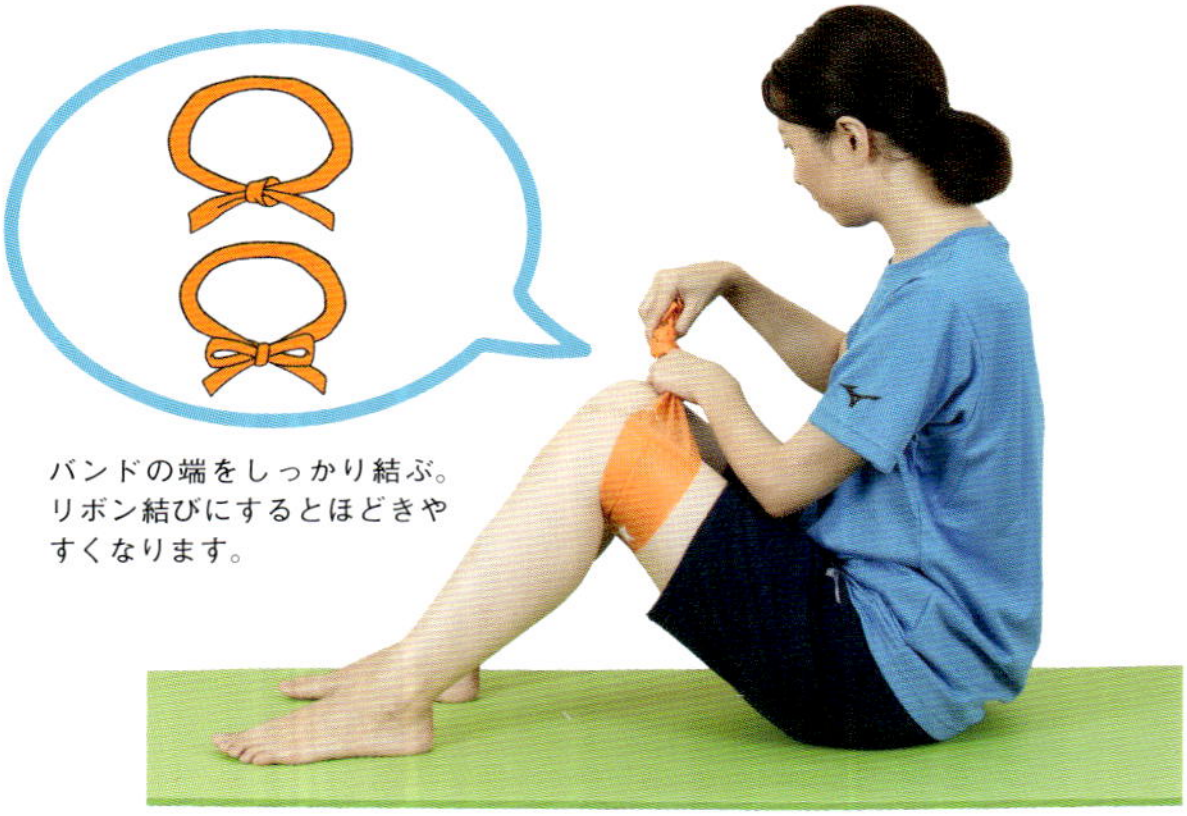

バンドの端をしっかり結ぶ。リボン結びにするとほどきやすくなります。

ストレッチバンドを輪にして、両足のひざの上にかける。（バンドの強度を高めたい場合は、二重にして輪をつくる）

② 仰向けになる

バンドをひざ上にかけたまま仰向けになり、体をまっすぐ伸ばす。

左右5～10回繰り返して1セット

1日2～3セット

③ ひざを曲げ、太ももを上げる

「ツー」と言って息を吐きながら、5秒かけてゆっくりひざを曲げる。太ももが床と垂直になるまで上げたら、いったん息を吸い、「ツー」と言いながら5秒かけて元に戻していく。

きつくて足が上がらない場合は、ひざを曲げ、足裏を床につけて行なってもOK

ポイント

この体操は、腰の深部の大腰筋などの筋肉を鍛えるメニューです。寝ながら足踏みをする要領で行なってください。腰の深部の筋肉は足を上げ下げして歩行を安定させる役割を担っています。ここが鍛えられると、より速く、力強く歩けるようになるでしょう。

ストレッチバンド体操①
お尻と太ももを鍛える

お尻や太ももを鍛えて
引き締まった足をつくる

動画でチェック

① 両足にバンドをかけてよつんばいになる

バンドを輪にして、両足先に通して甲の部分に引っかける。その状態のまま、よつんばいになる。

※バンドの輪を一重、二重、三重にして強度を調節してください。リボン結びにするとほどきやすくなります。

② 片足を後ろへ大きく伸ばす

「ツー」と言って息を吐きながら、片方の足を5秒かけてゆっくり後方へ伸ばす。伸ばしきったらいったん息を吸い、「ツー」と言いながら5秒かけてゆっくり元に戻す。

ポイント

この体操は、お尻や太ももなどの筋肉を鍛えます。足は、高く蹴り上げるのではなく、まっすぐ後方へ伸ばす意識を持ってください。締まったお尻やスラッとした足をつくるのにも役立つはずです。

左右5〜10回
繰り返して
1セット

1日2〜3セット

下半身

ストレッチバンド体操②
股関節を鍛える

股関節と骨盤底筋を鍛えて尿もれ予防にも役立つ

動画でチェック

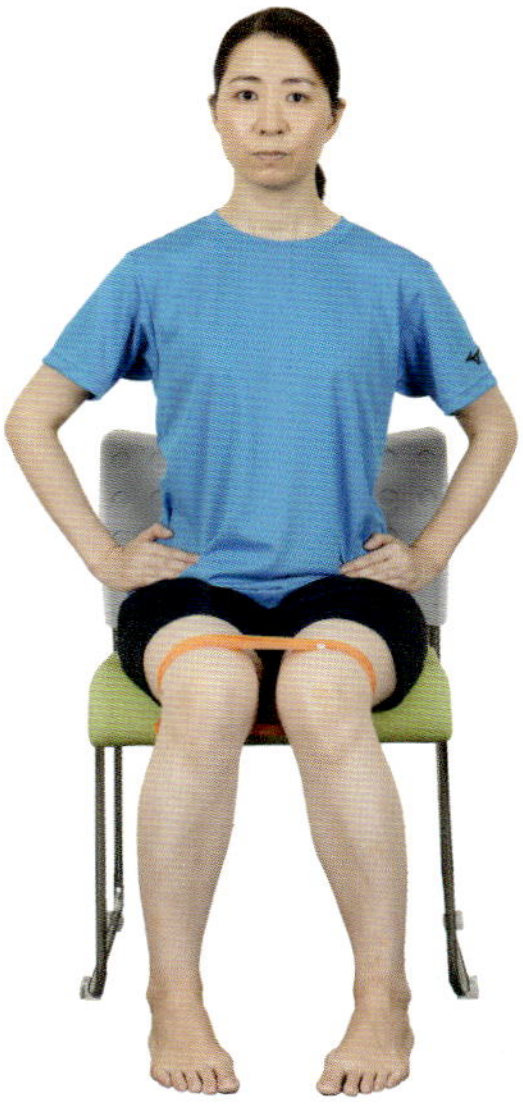

① イスに座り、ひざ上にバンドを巻く

イスに座り、バンドを輪にして両足に通し、ひざよりやや上の部分で固定する。

※バンドの輪を一重、二重、三重にして強度を調節してください。リボン結びにするとほどきやすくなります。

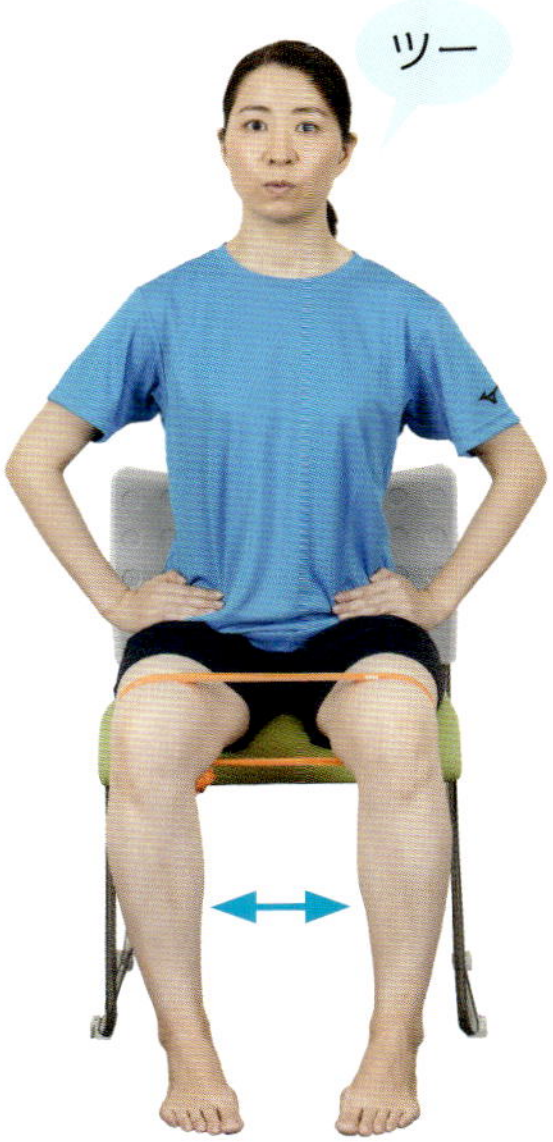

② ひざを左右に広げ、股関節を開く

「ツー」と言って息を吐きながら、5秒かけてゆっくりひざを開く。開ききったらいったん息を吸い、「ツー」と言いながらゆっくりひざを閉じる。

ポイント

この体操は、股関節の動きをよくするメニューです。股関節は歩行などの日常動作を安定させる重要な関節。また、この体操では、骨盤底筋も鍛えることができるため、尿もれや失禁の予防にもつながります。

5〜10回繰り返して1セット

1日2〜3セット

下半身

ストレッチバンド体操③

お尻と内ももを鍛える

動画でチェック

下半身全体の筋力アップで歩く姿が若々しくなる

① 両足首にストレッチバンドを巻いて結ぶ

バンドを両足首に巻き、足と足の間にこぶし1個分のスペースを空けた状態で結ぶ。そのうえで仰向けになる。

5〜10回
繰り返して
1セット

1日2〜3セット

ポイント

この体操では、太ももやお尻などの筋肉が効果的に鍛えられます。体の大きな筋肉が鍛えられると、基礎代謝が上がり、疲れにくくなるなどの効果も期待できます。意外にキツイかもしれませんが、太ももの筋肉が収縮するのを感じながら行なってみてください。

ココに注意!!

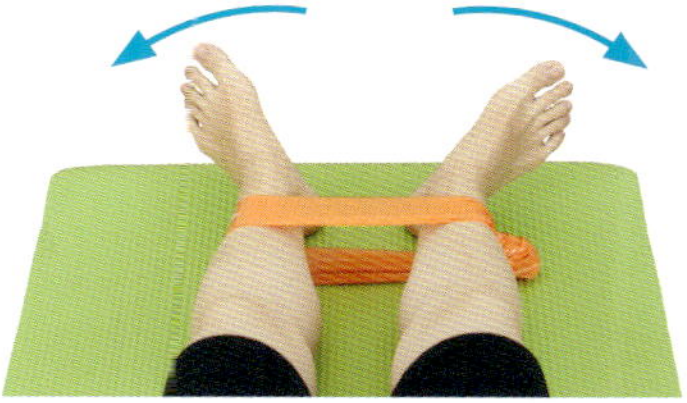

足首を開いたり閉じたりしているだけでは、効果はゼロ。太ももやお尻に力を込めて、バンドが2倍に伸びるようにがんばってください。

② 太ももに力を入れ、ゆっくり両足を開く

ツー

両足先を少し外側に向け、「ツー」と言って息を吐きながら5秒かけてゆっくり足を開いていく。このとき、太もも全体の力を使って、バンドを2倍くらいまで伸ばす。縮める際も、「ツー」と言いながらゆっくり戻していく。

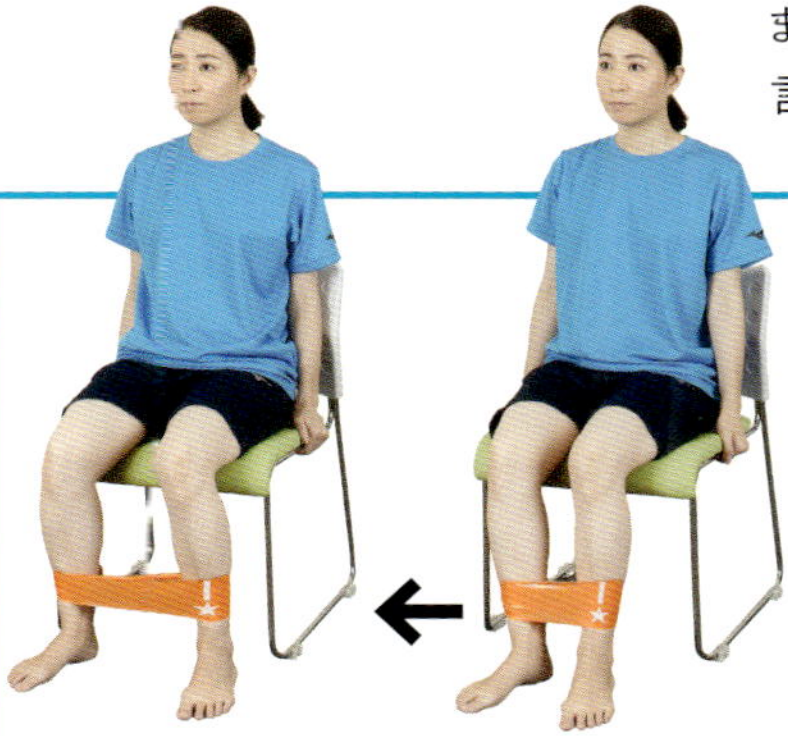

座って行なってもOK!

この体操は、イスに座った状態でも行なえます。その際は、背すじを伸ばし、太ももの力で足を左右水平に開いていくようにしてください。

運動療法

3

全身の血流を促し、腎臓の働きを高める

腎活性ウォーク

30～60分を週3～5回、週に150～180分歩くのが目安

腎臓リハビリには、ストレッチバンド体操だけでなく有酸素運動も不可欠。そして、有酸素運動の効果を上げるためにぜひ行なってほしいのが、この「腎活性ウォーク」です。

みなさん、ウォーキングによって多くの健康効果が得られるのはご存じのことでしょう。

なかでも、特に大きいメリットが、血流をよくして、血管をしなやかにする効果です。**腎臓には全身の血液の20％が流れ込んでいるのですが、ウォーキングの血液や血管に対する効果は、腎臓にも当然よい働きをもたらします。**

私たちはかつて、急性心筋梗塞を起こした患者さん41人を対象に「運動量と腎機能の変化」の関係性を調査しました。すると、1日に4113歩以上歩いた患者さんは歩数に応じて腎機能指標（eGFR）の有意な改善が見られ、心臓への負担もやわらいでいました（P33のグラフ参照）。

4113歩という数字は、あくまで中央値ですので、4113歩以上歩けばいいというわけではありません。最低限これくらいは歩かないと効果は出ないというラインであり、運動は安全な範囲

歩数が増えるほど腎機能が改善する!

血清シスタチンCに基づく腎機能指標（eGFR）

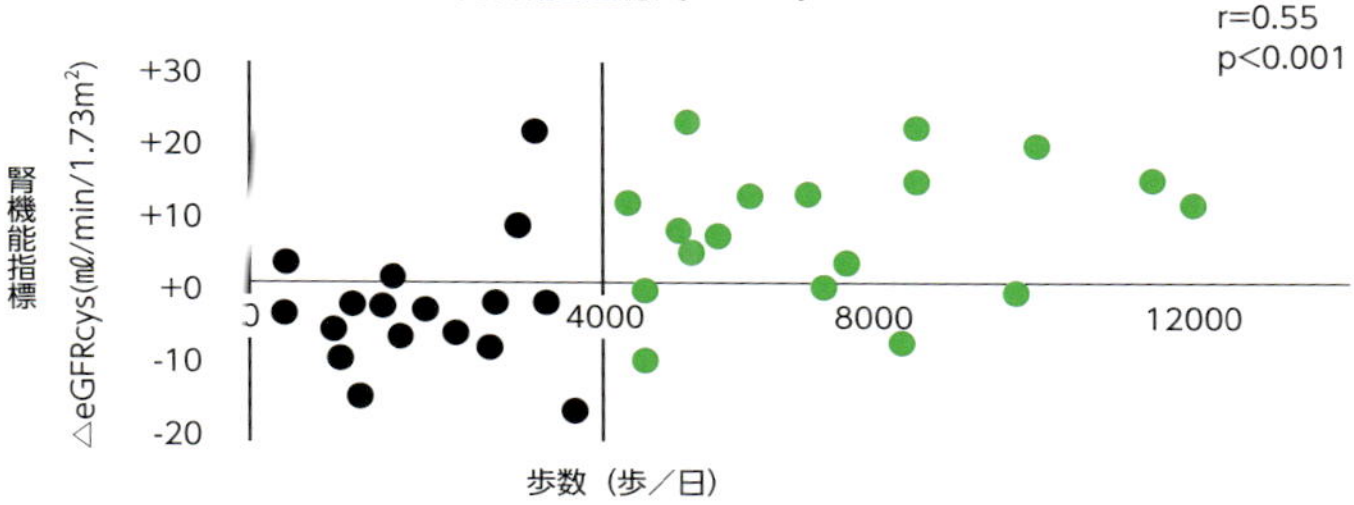

●運動量が少ないグループ　●運動量が多いグループ

出典：Sato T et al.PLoS One 14 e0212100 2019

急性心筋梗塞を起こして手術やリハビリを受けた患者 41 人を対象に、退院後 3 か月の運動量（1 日の歩数）、腎機能や心臓機能の検査を行ない評価したもの。

でたくさん行なうほうが、より高い効果を上げることにつながります。

もっとも、私たちが行なってきた研究を総合すると、**1回につき30分〜60分のウォーキングを週3〜5回行なって、1週間に150分〜180分歩くのがおすすめ。**腎活性ウォークで効果を上げるには、それくらいが目安になると考えてください。

ただ、病状や体力によっては長い時間歩くのがつらい人もいらっしゃるかもしれません。そういう方は、無理をすることなく、10分程度の散歩から始めて徐々に時間や回数を増やしていくようにすればOKです。

具体的な歩き方については次ページで紹介します。ぜひみなさん、ストレッチバンド体操と腎活性ウォークを日々並行して行なって、相乗効果で高い腎機能をキープしていくようにしてください。

腎活性ウォークのポイント

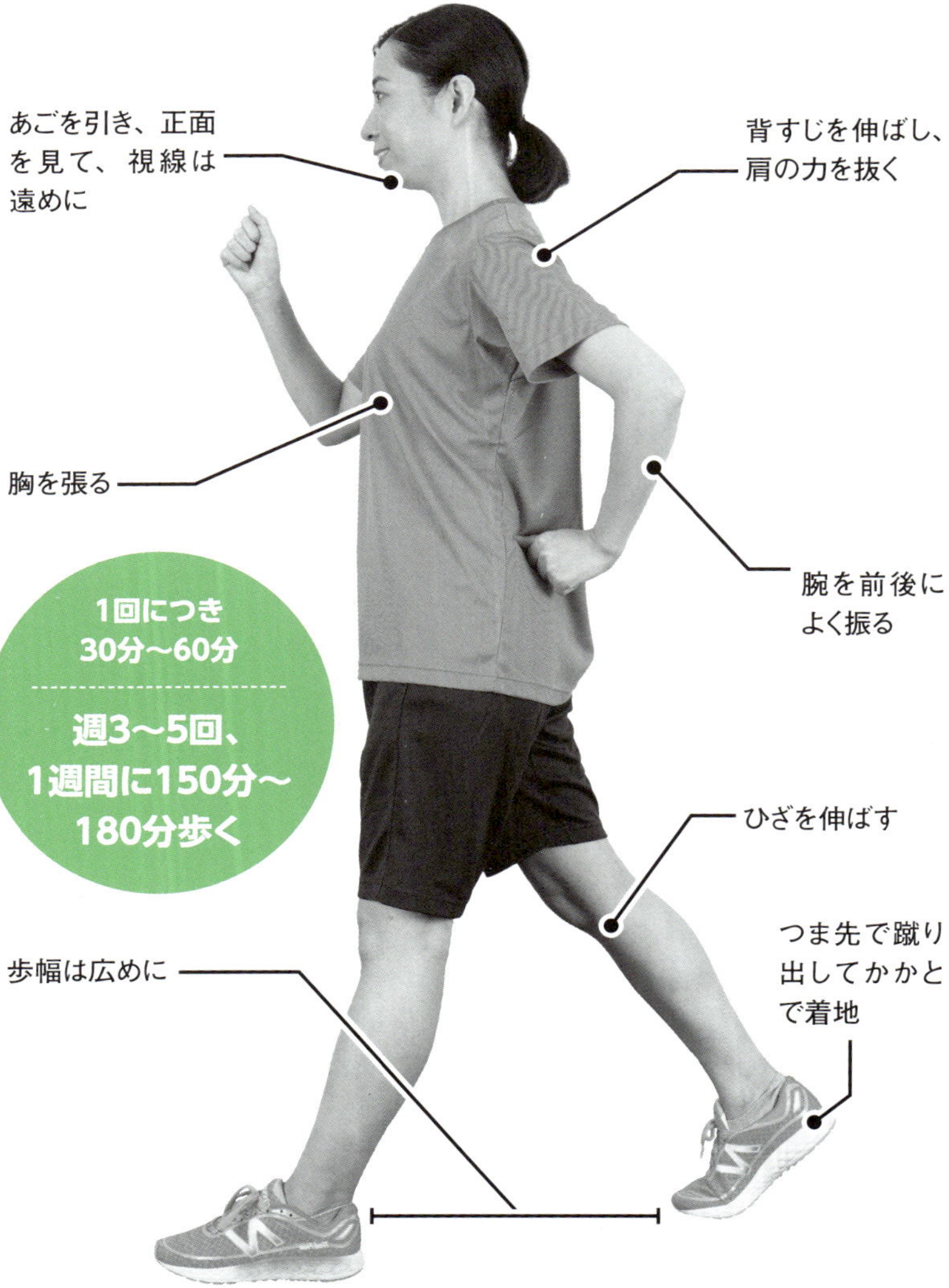
あごを引き、正面を見て、視線は遠めに
背すじを伸ばし、肩の力を抜く
胸を張る
腕を前後によく振る
ひざを伸ばす
つま先で蹴り出してかかとで着地
歩幅は広めに

1回につき
30分〜60分

週3〜5回、
1週間に150分〜
180分歩く

ウォーキングをする際の注意点

腎機能に不安のある方がウォーキングを始める際は、必ず主治医に相談し、適切な運動量を決めてから行なうようにしてください。**運動強度の目安は、1分間の心拍数が安静時よりも20～30回増える程度。**最近はスマートウォッチなど、心拍数を手軽に測れる便利な機器があるので、ぜひ活用するといいでしょう。

スマートウォッチは心拍数を計測するのに便利。

それと、脱水になると腎臓へのダメージにつながるので、歩く前と後だけでなく、小まめな水分補給を心がけてください。さらに、酷寒、酷暑、雨、台風、体調がよくない日などは、無理をせずに休むこと。ぜひ、安全に歩くことを最優先にして、日々長く続けていくようにしましょう。

エアロバイクやエルゴメータを利用してもOK

腎活性ウォークでは、エアロバイクやエルゴメータなどの室内でできる有酸素運動機器を用いてもＯＫです。

これらなら、悪天候の日も運動できますし、思い立ったときにすぐに行なえます。コロナ自粛などで外に出にくいときの運動手段としておすすめです。

3つの運動の組み合わせがカギ

運動療法のスケジュールの組み方

ストレッチバンド体操は1日置きで筋肉の「超回復」の効果を引き出す

腎臓リハビリの効果を引き出していくには、「上月流 腎臓体操」「ストレッチバンド体操」「腎活性ウォーク」の3つの運動療法をうまく組み合わせていく必要があります。

では、どのようにスケジュールを組んでいけばいいのか。まず、**上月流 腎臓体操は、日曜は休みにするとして、基本的に毎日行なうようにしてください**。ストレッチバンド体操や腎活性ウォークを行なう前のウォーミングアップとして習慣づけてしまうことをおすすめします。

一方、**ストレッチバンド体操は、月水金でも火木土でもいいので、1日置きに行なっていくといいでしょう**。筋トレにおいては、「超回復《ちょうかいふく》」といって、トレーニング後に一定の休養期間を設けると、トレーニング前よりも太い筋肉がつくられることが知られています。すなわち、1日置きに行なうほうが、より効率よく強い筋肉をつくることができるのです。

ただ、なかには「ストレッチバンド体操を毎日やりたい」という人もいるかもしれません。その場合は、「月曜・上半身」→「火曜・体幹」→「水

おすすめの1週間のスケジュール例

月曜	晴れ	腎臓体操 + ストレッチバンド体操 + 腎活性ウォーク
火曜	晴れ	腎臓体操 + 腎活性ウォーク
水曜	雨	腎臓体操 + ストレッチバンド体操
木曜	くもり	腎臓体操 + 腎活性ウォーク
金曜	晴れ	腎臓体操 + ストレッチバンド体操 + 腎活性ウォーク
土曜	くもり	腎臓体操 + 腎活性ウォーク
日曜	晴れ	お休み

曜・下半身」といったように、1日ごとに鍛える部位を変えるといいでしょう。そうすれば、各部位の超回復にも支障はなく、ローテーションをうまく回していくことができるはずです。

さらに、**腎活性ウォークは、週3～5回で週150分～180分をクリアできるようにしていくのが目安です**。屋外運動だと、雨が続いたり体調が悪かったりして歩けない日が出ることもあります。そういう場合は、翌日に多めの時間を歩いたり、その週の歩く回数を増やしたりして、フレキシブルに対応しながら週150分～180分をクリアするようにしていくといいでしょう。

そして、いちばん大事なことは、長く続けていくことです。たとえ三日坊主になったとしても、その3日坊主を何度も続けていけば問題ありません。ぜひみなさんも、それくらいの気軽な感覚で取り組んでいくようにしてみてください。

こんな人は注意!

COLUMN

腎臓リハビリをすぐに始められない人もいます

腎臓リハビリの運動療法は、患者さんの状態によっては、すぐに取り組むことのできないケースもあります。

まず、重度の高血圧である場合。**最高血圧が180mmHg以上の人は、血圧上昇による心血管病リスクを避けるためにも、運動を控え、薬物治療や食事療法で数値を下げることを優先してください。**また、糖尿病で、空腹時血糖値が250㎎/dℓ以上ある人も、運動療法に取り組む前に血糖値を下げておく必要があります。

このほか、BMIが30以上ある肥満症の人も、関節を痛めたり心臓に負担がかかったりする可能性があるため、食事療法で減量してから腎臓リハビリをスタートするほうがいいでしょう。

さらに、同じ腎臓病でも、ネフローゼ症候群や急性腎炎の人、あるいは急速に腎機能が低下している人は、症状が落ち着いてから行なうべき。行なう際は、必ず主治医と相談のうえ、運動の種類や強度を決めるようにしてください。

PART 2

もっと知りたい！
腎臓リハビリの効果

「安静」から「運動推奨」へ

腎臓病治療の常識が180度変わった

運動療法が慢性腎臓病患者の「生きる力」を回復させていく

　先にも触れましたが、慢性腎臓病はかつては「安静第一」が治療原則でした。運動は慢性腎臓病を悪化させる要因と見なされ、医師が診療の指標とする腎臓病のガイドラインでも「運動制限」が設けられていたのです。

　それがいまでは、腎臓リハビリが広く認められ、「運動推奨」が常識とされるようになっています。言わば、慢性腎臓病の治療常識が180度転換したわけですね。

　こうした大転換に至った背景には、数々の研究の積み重ねがあります。私たちの研究以外にも、世界各国で運動療法がよいことを裏づける研究結果が報告されているので、ちょっと紹介しておきましょう。

　たとえば、イギリスの研究報告。慢性腎臓病の患者さんを「通常治療のみの人」と「通常治療＋有酸素運動と筋トレを行なった人」の2群に分けて比較したところ、運動をプラスした群は腎機能の指標であるクレアチニンやeGFRの値が改善していきました（P41のグラフ左）。

運動で腎機能が改善した

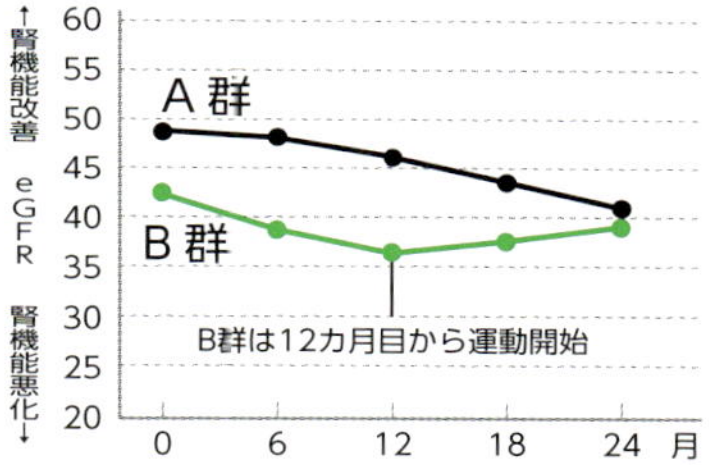

18人の慢性腎臓病の患者さんを、通常の治療のみ（A群）と有酸素運動と筋トレを取り入れた群（B群）に分けて経過を観察。B群のクレアチニン値が下がり、eGFRが優位に改善するという結果が出た。

(Greenwood SA,Koufaki P.Marcer TH et al.Am J Kidney Dis.2015)

運動で寿命が延びる

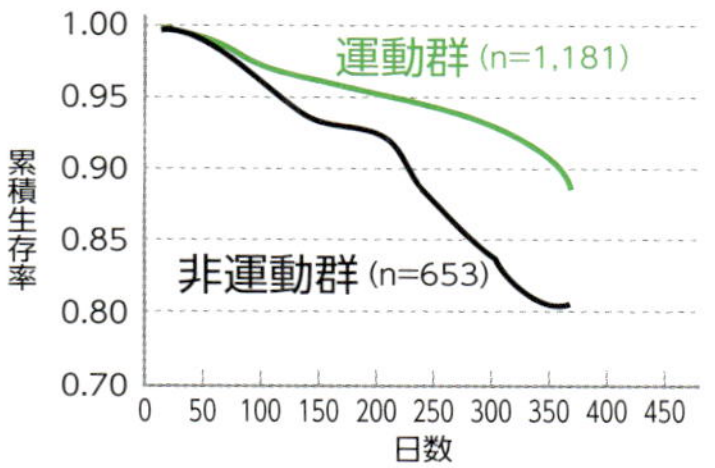

人工透析中の患者さんで、定期的な運動習慣がある人とない人に分けて比較調査。運動習慣があるほうが、明らかに生命予後がいいという結果が出た。

(O'Hare AM et al.Am J Kidney Dis.2003)

また、アメリカでは、人工透析中の患者さん2000人以上を対象にした大規模調査が行なわれています。その研究では、定期的な運動習慣がある人のほうが明らかに長生きできるという結果が出ているのです（グラフ右）。

腎機能が改善して寿命が延びるだけではありません。この他にも、**慢性腎臓病に対する運動療法では、「心臓の機能が高まる」「酸素摂取量が増える」「睡眠の質がよくなる」「透析の効率がよくなる」「死亡率が低下する」といった数々の効果**が報告されています。

このように、運動療法を行なうと、慢性腎臓病の患者さんの病状や体力が総合的に回復へと向かうようになるのです。私は、腎臓リハビリの運動療法は、患者さんの「生きる力」を回復させるメソッドだと考えています。ぜひみなさんも運動によって回復を引き寄せるようにしてください。

慢性腎臓病の進行度を知っておこう

GFRの値によって6つのステージに分かれている

慢性腎臓病という診断が下されるのは、次のうちどちらか一方、あるいは両方が3か月以上続いている場合です。

①尿・血液の検査、画像診断、症状から、腎臓に障害が起こっているのが明らかであること

②糸球体濾《ろ》過《か》量（GFR）が60（mℓ／分1・73㎡）未満であること

ただし、②のGFRは、正確に調べる検査はかなり手間がかかるので、実際には、血液検査で調べた血清クレアチニンの値をもとに、eGFR（推算糸球体濾過量）を算出するのが一般的です（左ページ下の計算式）。また、インターネットの慢性腎臓病関連のサイトには、血清クレアチニン値や年齢を入力するだけで簡単にeGFR値を求められるページもあります。

なお、慢性腎臓病の進行度はGFRの数値によって決まっていて、左ページの表のように、6段階のステージに分かれています。

G1は腎機能が「正常」、G2は「軽度低下」で、これらの段階ではほぼ症状はありません。G3は健康診断などで慢性腎臓病が発覚しやすい段階で

慢性腎臓病の6段階のステージ

<table>
<tr><th>ステージ</th><th>G1</th><th>G2</th><th>G3a</th><th>G3b</th><th>G4</th><th>G5</th></tr>
<tr><td>GFR</td><td>90以上</td><td>89～60</td><td>59～45</td><td>44～30</td><td>29～15</td><td>15未満</td></tr>
<tr><td>腎臓の働き</td><td>正常</td><td>軽度低下</td><td>軽度～
中等度低下</td><td>中等度～
高度低下</td><td>高度低下</td><td>末期腎不全</td></tr>
<tr><td>自覚症状</td><td colspan="2">無症状</td><td colspan="4">むくみ、だるさ、疲れ、息切れなど</td></tr>
<tr><td rowspan="5">治療</td><td colspan="6">生活習慣改善</td></tr>
<tr><td></td><td colspan="5">高血圧や糖尿病の治療</td></tr>
<tr><td colspan="6">食事療法・薬物療法</td></tr>
<tr><td colspan="4"></td><td colspan="2">人工透析などの検討・準備</td></tr>
<tr><td colspan="6">運動療法</td></tr>
</table>

す。もっともG３はふたつに区分けされていて、Ｇ３ａの段階では「軽度～中等度低下」ですが、Ｇ３ｂになると、「中等度～高度低下」となり、心血管病のリスクが高まってきます。

さらに、Ｇ４になると「高度低下」となって腎不全リスクが高まってきて、Ｇ５になると「末期腎不全」と見なされて人工透析や腎移植が検討されるようになるのです。

これらを参考に、自分がどのステージにあるのかをきちんと把握して、適切に治療やリハビリなどの対処をしていくようにしてください。

eGFRの計算式（18歳以上）

Cr＝血清クレアチニン値

男性

$$194 \times Cr^{-1.094} \times 年齢^{-0.287}$$

女性

$$194 \times Cr^{-1.094} \times 年齢^{-0.287} \times 0.739$$

腎臓病の人は心臓病のリスクも高い

糖尿病・高血圧の原疾患治療も大切

腎機能のことだけを注意していればいいわけではない

慢性腎臓病が発生する背後には、しばしば糖尿病や高血圧などの疾患が横たわっていて、これらを「原疾患」と呼びます。

そのため、慢性腎臓病を治すには、まず、これらの原疾患の治療をしっかり行なわなくてはなりません。すなわち、医師の指導のもと、薬物治療や食事療法を行なって、糖尿病であれば血糖値を下げ、高血圧であれば血圧を下げるようにしていくわけです。

それと、糖尿病の場合も、高血圧の場合も、適度な運動を習慣にすることが治していくうえでたいへん大切になります。

ですから、腎臓リハビリの運動療法を習慣にすれば、慢性腎臓病の改善のみならず、糖尿病や高血圧の原疾患を治療していくのにも大いに役立つはずです。ぜひ、腎臓リハビリによって原疾患を治し、原疾患を治すことによって慢性腎臓病をより改善に向かわせるという「好循環サイクル」をつくり出すようにしましょう。

なお、血圧が高い人や血糖値が高い人は、心筋梗塞や脳卒中などの心血管疾患に罹患するリスク

慢性腎臓病と心血管疾患の関係

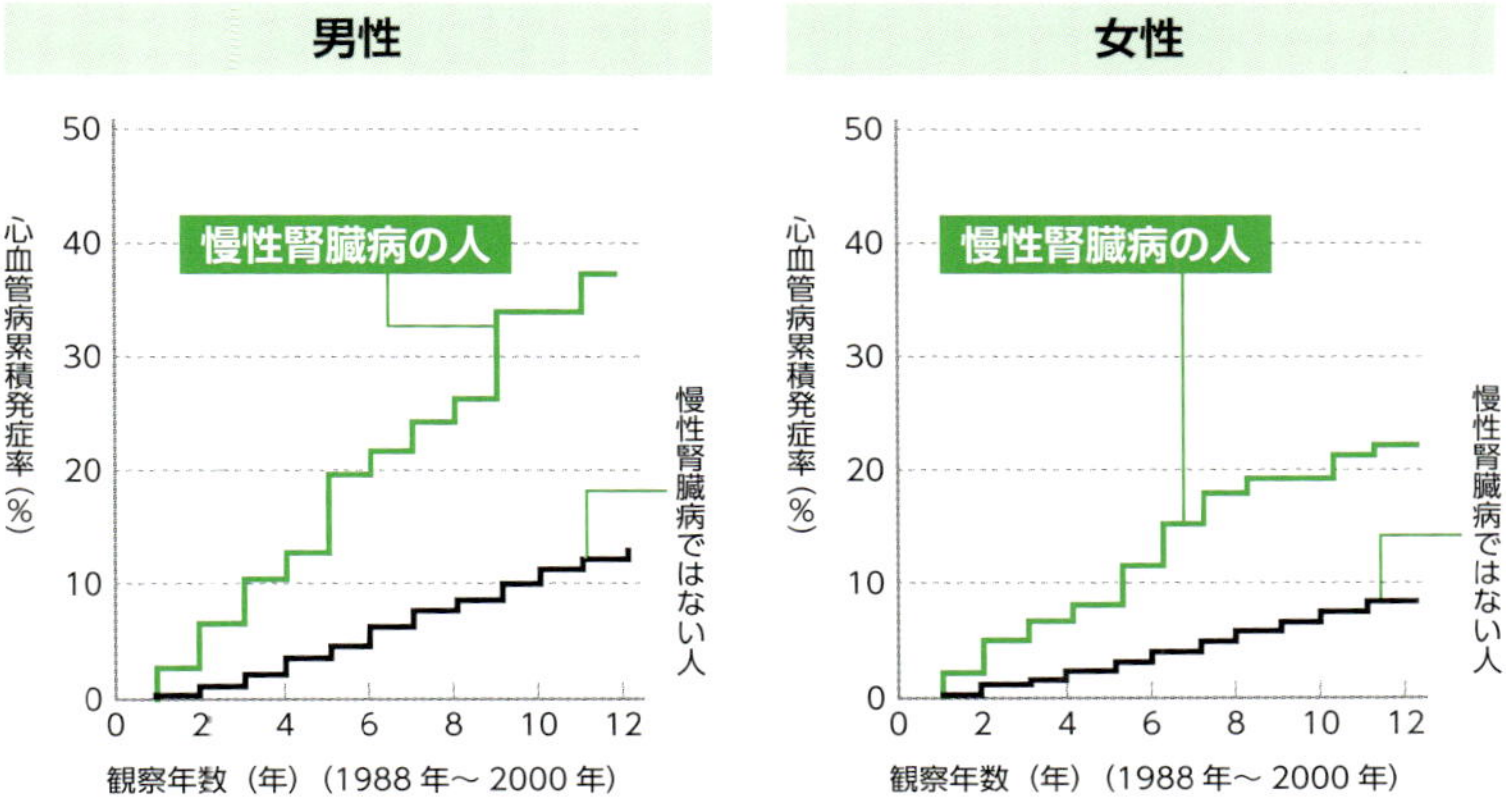

（二宮利治 . 清原裕：久山町研究からみた慢性腎臓病　総合病床 55：1248 - 1254.2006. より作成）

が高いことがよく知られています。これと同様に、慢性腎臓病になると、心血管疾患になるリスクが大きく高まるのです。たとえば、九州大学大学院による長期大規模調査・久山町研究では、慢性腎臓病の人が心血管疾患を発症しやすいことが明らかになっています（上のグラフ参照）。

最近は研究が進み、腎臓と心臓とが互いに影響し合う関係にあることも分かってきました。「心腎連関症候群」といって、腎機能が低下すると心機能も低下し、反対に、心臓病になると腎機能が低下するようになるのです。

このように、慢性腎臓病の人は、ただ腎機能のことに気をつけていればいいというわけではなく、血糖値や血圧にも注意を払い、心臓病や脳卒中のリスクが大きいことを自覚して日々を過ごしていく必要があるのです。みなさんも、このことを肝《きも》に銘《めい》じておくようにしてください。

サルコペニア、フレイル、寝たきり…

たった1日の安静で2歳も老化する!

3週間の安静で40年分老化するという研究も

先に述べたように、慢性腎臓病の人は「安静」にするよりも「運動」をする道を選ぶべきです。では、もし安静を選んだ場合、どうなってしまうのか。ちょっと怖いデータがあるので、ここで紹介しておきましょう。

人の筋肉量は、30歳を過ぎた頃から、1年歳をとるごとに平均1%ずつ低下していきます。しかも、丸1日、ずっと体を動かさず安静にしていると、なんと2%の筋肉量が低下してしまうことが分かっているのです。すなわち、たった1日で2歳も老化することになるわけです。

それに、衰えるのは筋肉だけではありません。1966年、アメリカで行なわれた研究では、5人の20歳の男性に3週間の完全安静生活をしてもらい、3週間後、彼らの持久力低下の度合いを調べました。この実験後、彼ら5人はトレーニングによって健康を回復させています。ただ、おもしろいのはここからで、この実験から40年の歳月が経ってから、再び彼ら5人に持久力の検査を行なったのです。すると、持久力が低下した度合いの平均値は、40年前の安静実験後の結果と同等で

3週間安静にしたときの体力低下は、40年後の体力と同じに……

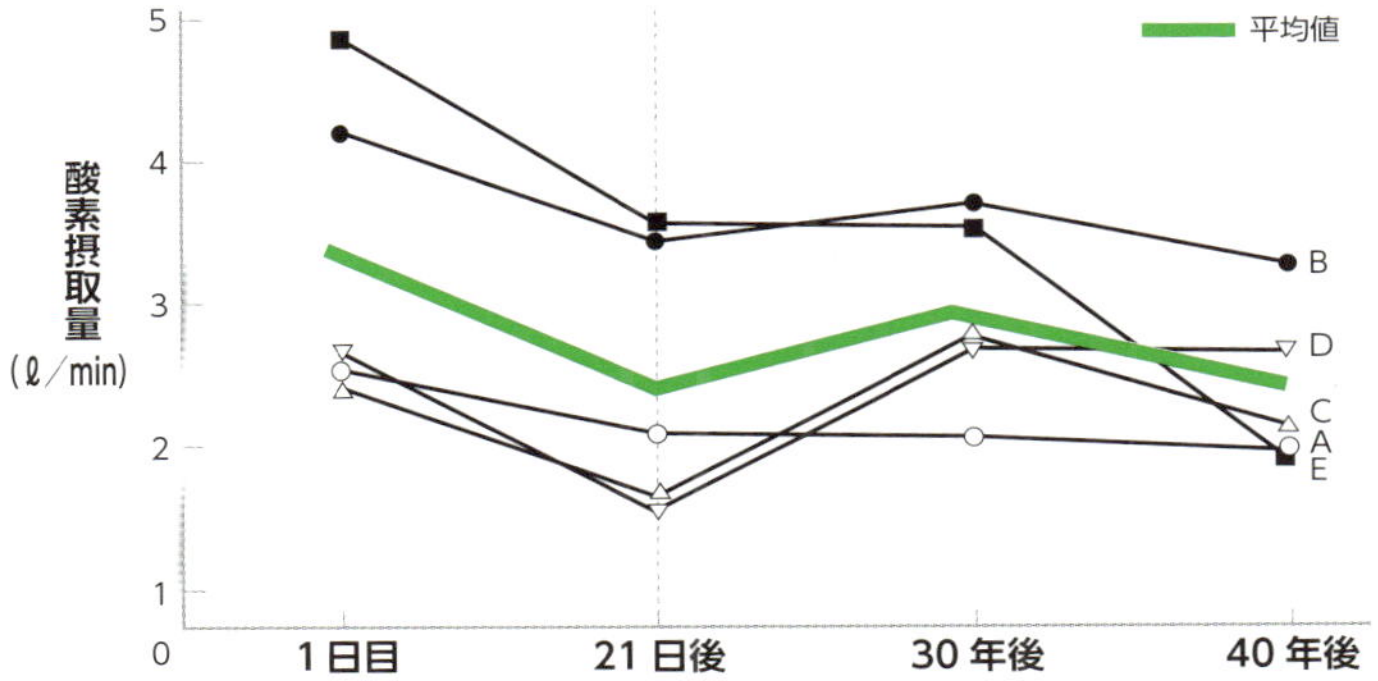

McGavock JM.Et al.J Gerontol 2009;64;293-299

した。つまりこれにより、40年分の老化がたったの3週間の安静で起こるということが確認されたわけです（上のグラフ参照）。

このように、安静にしていると、人はみるみる衰えていってしまうのです。高齢になり、安静や運動不足によって筋肉量や筋力の低下が急速に進むと「サルコペニア」と呼ばれる状態に陥り、身体機能が落ちて転倒骨折のリスクが大きく高まります。また、このサルコペニアがさらに悪化すると、身体機能だけでなく認知機能も低下して、「フレイル」と呼ばれる衰弱状態になっていきます。そして、フレイルの先に待ち構えているのが寝たきり状態です。

だから、こういった悪い流れを防ぐためにも、安静を避け、日々体を動かす道を選ばなくてはならない。そして、そのためにも腎臓リハビリの運動療法を行なうようにしていくべきなのです。

総死亡率低下&透析導入率抑制

人工透析の導入を先延ばしできる

平均2年、あるいはそれ以上、透析を遅らせることが可能

慢性腎臓病は初期はゆっくりと進行しますが、腎機能低下が中等度を過ぎたあたりから徐々に悪化が加速していきます。そして、慢性腎臓病の進行ステージがG3以降、とりわけ、G4、G5の段階になると、人工透析の導入が検討されるようになります。

腎機能を肩代わりする療法としては、人工透析以外にも腎移植という手段がありますが、日本においてはドナー登録者の数が少なく、大多数の人は透析療法を選択しています。

透析になってしまうと、週に2~3回、医療機関に通って数時間の透析を受けねばならず、生活が大きく変化します。透析後は強い疲労感が出る場合もあり、人によっては仕事に支障が出たり、精神的ストレスを抱えたりするようにもなります。

しかし、こういった透析への移行が視野に入ってきたとしても、早々とあきらめてしまうのはもったいないと思います。なぜなら、**腎臓リハビリの運動療法を行なうことによって、透析導入を先延ばしにできたという例が多数報告されている**からです。

総死亡率が低下した！

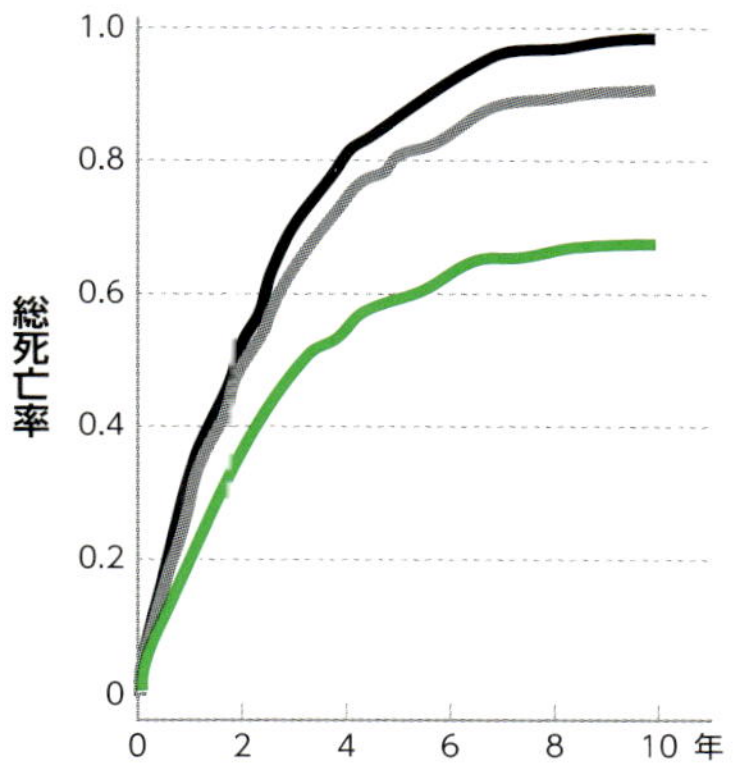

透析導入率が抑制された！

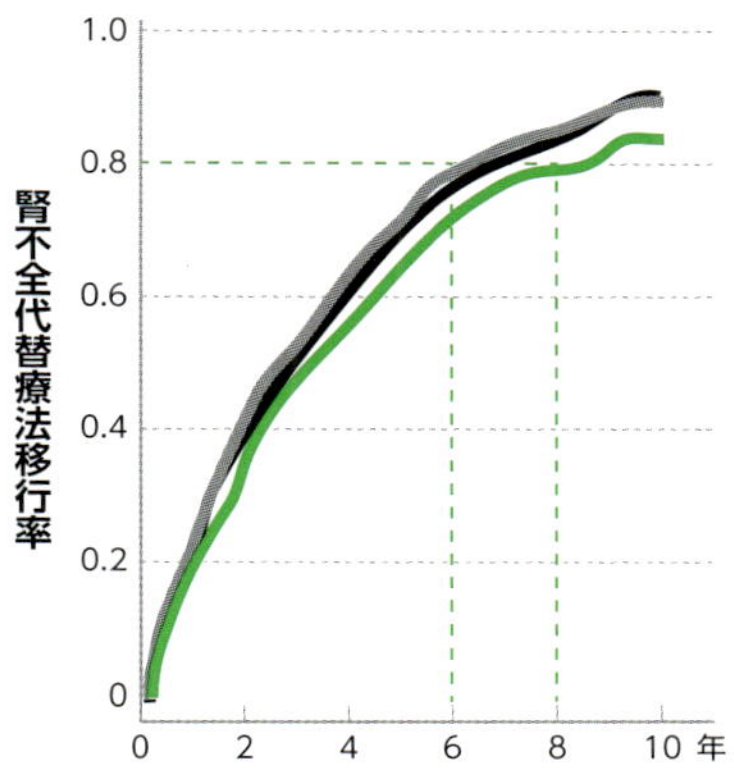

ウォーキングを好んで行なっていた群（運動頻度高）　対照群（運動頻度低）　全体

たとえば、ステージG3〜5の慢性腎臓病の患者さん6000人以上を10年間追跡調査した台湾の研究では、運動習慣を持つ患者さんのほうが透析や腎移植といった療法への移行率が21％低くなったと報告されています。

また、同研究では、運動習慣を持つ患者さんのほうが調査期間中の総死亡率が33％も低くなったことも報告されています（上のグラフ参照）。

こうした研究から、**運動療法を行なえば、平均2年は透析導入を先延ばしできる可能性がある**と考えていいでしょう。ただ、これはあくまで「平均」なので、早い段階で腎臓リハビリを始めれば、腎機能を改善させたり、透析導入を2年以上先延ばしにできたりする可能性もあります。

だから、あきらめたり悲観したりする前に、その可能性を追い求めたほうがいい。腎臓リハビリには、それだけの可能性が秘められているのです。

腎臓リハビリは透析中でも有効！

透析の効率もよくなるし、疲労も感じにくくなる

じつは腎臓リハビリの運動療法は、人工透析を受けている患者さんにも有効です。実際に、運動療法を導入して成果を上げている透析施設がたくさんあります。

しかも、**2022年春からは、透析中の運動療法に診療報酬がつくようになりました**。その影響もあって、透析をしながらの運動療法に力を入れる医療機関がこのところ非常に増えてきているのです。

それにしても、透析中、いったいどのような運動を行なうのか。もっとも一般的なのは、運動療法の指導士の管理のもと、透析をしている最中、ベッドに仰向けに横になりながら、**※エルゴメータで足こぎ運動**をする方法です。

透析中の患者さんは、これまでは何時間も透析器につながれたままじっとしていなくてはなりませんでした。しかし、足を動かして運動することによって、気をまぎらし、ストレスを発散し、おまけに筋肉を効率的に刺激することができるようになったわけです。

人工透析を受けている高齢の患者さんの身体機

※エルゴメータとは、自転車こぎ運動を行なうリハビリ機器。

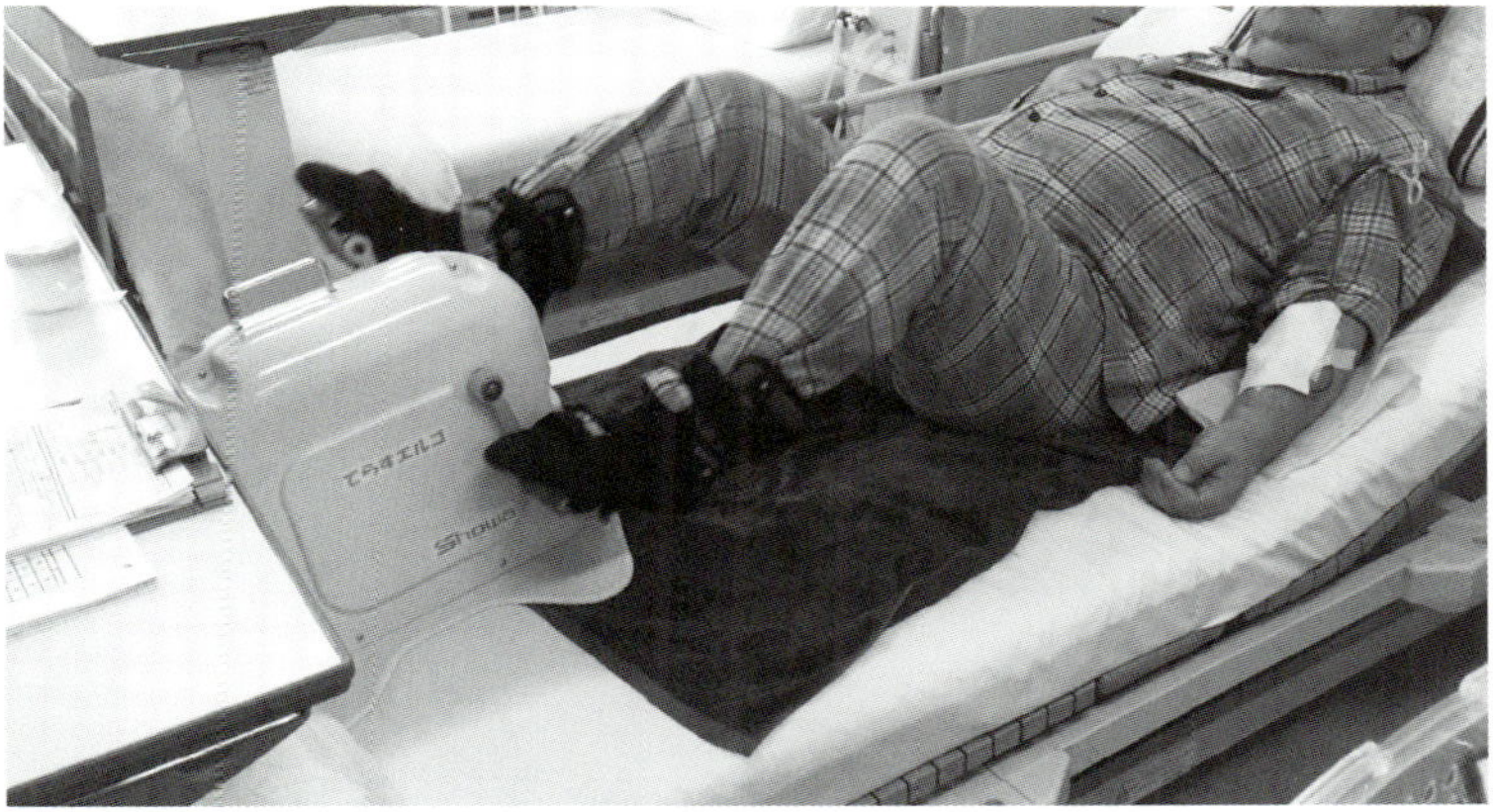

透析中、エルゴメータで自転車こぎ運動を行なっている患者さん。

能は、同年代の人の7割以下に落ち込んでいるとされています。とりわけ、足腰の筋肉は衰えが進みやすく、足の筋肉が細ると体力低下や運動機能低下に直結します。そのため、透析中のこうした足こぎ運動は、筋肉量や体力のキープや向上にまさにうってつけなのです。

しかも、**透析中に足を動かして運動していると、多くの酸素を取り込むことができ、心臓の機能が高まり、血液循環がよくなって、老廃物を含んだ血液がスピーディに体外に出ていくようになります**。すると、透析の効率もいちだんとよくなりますし、透析中や透析後につきものの疲労を感じにくくなっていきます。

このように、透析中の運動療法には、たいへん数多くのメリットがあるのです。たとえ透析中でも、あきらめずに体を動かしていけば、ちゃんと体が応えてくれるわけですね。

塩分、たんぱく質、カリウム、リン…

食事で〝腎臓リハビリ効果〟を高めよう

たんぱく質の減らしすぎはＮＧ。リンの過剰摂取にも注意しよう

運動と食事は、健康維持の「両輪」です。腎臓リハビリでも、運動療法だけでなく、食事療法も並行して行なっていく必要があります。

では、食事ではどんな点に気をつければいいのか。基本は、日々の活動に必要な「適切なエネルギー摂取量」を確保したうえで、塩分、たんぱく質、カリウムなどを摂りすぎないよう注意していくことになります。慢性腎臓病のステージごとの基準は、左ページの表を参照してください。

いくつか補足をしておくと、減塩は慢性腎臓病に対する効果が大きい食事療法ですので、早いうちから薄味に慣れ、なるべく1日6g未満の摂取を実行するようにしてください。

一方、たんぱく質の制限は、あまりに減らしすぎると筋肉量減少の原因となり、サルコペニアにつながる可能性があるので気をつけてください。もちろんたんぱく質の摂りすぎは腎臓に負担がかかるので避けるべきなのですが、「減らす」というよりも、むしろ「自分が摂っていい量のギリギリまでちゃんと摂る」という姿勢で臨むことをおすすめします。

慢性腎臓病の食事指導の基準

慢性腎臓病のステージ		ステージG1 ステージG2	ステージ G3a/b	ステージG4	ステージG5
食事指導	塩分	高血圧があれば 減塩1日3g以上 6g未満	食塩摂取量　1日3g以上6g未満		
	たんぱく質	※タンパク質は、標準体重1kg当たりの量	たんぱく質制限 G3a：1日 0.8〜1.0g/kg G3b：1日 0.6〜0.8g/kg	たんぱく質制限　1日0.6〜0.8g/kg	
	カリウム		高カリウム血症があればカリウム制限		

日本腎臓学会「慢性腎臓病 生活・食事指導マニュアル〜栄養指導実践編〜」を参考に作成

さらに、腎臓が悪い人はカリウムにも摂取制限が必要な場合があります。なかでも、イチゴ狩りや梨狩りなどで大量に果物を食べるような行為は禁物と心得ておいてください。

それと、上の表にはありませんが、最近、「リンの過剰摂取」が腎機能低下を進ませる原因として注目を浴びるようになっています。リンはさまざまな食べ物に含まれていて、知らず知らずのうちに口に入ってきてしまうのですが、そのなかでも、もっとも注意すべきは「食品添加物に含まれているリン」です。

加工肉、水産加工食品、インスタント食品、カップ麺、スナック菓子、ファストフード……こうしたものには、添加物としてリンが使われている可能性があります。すべてをゼロにしろとは言いませんが、腎機能低下が気になる人は、できるだけ控えるよう心がけていくべきでしょう。

改善リポート 1

2万5000歩のウォーキングを日課にすることで人工透析を回避することができた!

Tさん 60代

Tさんは59歳の時に脳梗塞で倒れました。もともと血圧がかなり高かったのです。幸い一命はとりとめましたが、左半身にマヒが残り、入院時の検査で腎機能がG3aの段階にまで低下していることも判明しました。担当の医師からは「このまま腎機能が低下したら、いずれ透析も検討しなくてはならなくなる」と言われたそうです。

しかし、ここからTさんは一念発起して腎臓リハビリの運動療法に取り組み始めました。とくに力を入れたのがウォーキングで、仕事をリタイアしてからは、午前と午後の2回に分けて1日に2万5000歩もの歩行を日課にするようになったのです。

すると、Tさんの病状は徐々に回復。体重は減り、血圧も正常域にコントロールできるようになり、マヒの残る左足にも筋肉がついてきました。しかも、eGFRの値が60にまで回復したのです。これは慢性腎臓病がG3aからG2の段階へ改善したということ。

医師からも「いまの状態を続ければ、透析を回避できますよ」と言われ、Tさんはまるで人生を取り戻したかのような明るい表情で、ますます日々の運動に力を入れるようになっています。

改善
リポート
②

「日本百名山」の踏破を目標に掲げて35年以上も腎機能を「G3a」にキープ！

Eさん　70代

Eさんは40歳の時に慢性腎臓病と診断され、それからもうかれこれ35年以上のつき合いです。でも、その間、診断時の腎機能のステージ「G3a」をいまなおキープし続けています。腎機能は高齢になるとともに衰えていくのが普通なので、35年以上も状態を維持し続けているのは医師から見てもかなりすごいことだと言っていいでしょう。

ただ、これには、やはり理由があったのです。Eさんは若い頃から登山が好きで、子育てが一段落したら存分に山登りを楽しみたいという思いがありました。そこで、「運動で腎臓を治す」という目的を兼ねて、その自分の楽しみを実行に移すことにしたのです。

しかも、Eさんには「『日本百名山』を踏破する」という明確な目標がありました。「日本百名山」とは小説家・登山家の深田久弥が随筆のなかで選定した名峰100座。Eさんは毎年コンスタントに登り続け、69歳の時にとうとう百名山すべてへの登頂を果たしました。

やはり、こういう楽しみや目標があると、よりいっそう運動の成果が出やすくなるのでしょう。Eさんは高齢になったいまも低い山を登り続け、腎機能を維持し続けています。

改善
リポート
3

ステージG5の慢性腎臓病でも、透析を先延ばしにすることが可能

Sさん　60代

農業を営むSさんが慢性腎臓病と診断されたのは61歳の時。すでにステージG4の高度低下の段階で、医師から「数年後には透析が必要になるでしょう」と言われました。Sさんは驚いて、医師に言われた通りに薬を飲み、減塩につとめました。ただ、運動はせず、なるべく体を休めるようにしました。それというのも、Sさんには「腎臓病は運動を控えて安静にしなくてはいけない」という思い込みがあったのです。

しかし、腎機能は一向によくならず、そう日を置かないうちにG5に進行。医師からも透析開始を勧められるようになりました。ただ、そんなとき、Sさんは「慢性腎臓病は運動するほうがいいらしい」という話を耳にしたのです。Sさんは藁《わら》にもすがる思いで腎臓リハビリを行なっている医療機関を訪ね、運動療法をスタート。リタイアしていた農作業も再開することにしました。

すると、6週間後には血圧が下がり出し、腎機能低下にも歯止めがかかるようになったのです。G5になってしまうといずれ透析になるのは避けられません。でも、Sさんはいまも日々体を動かし続け、透析導入を先延ばしにする暮らしを続けています。

改善
リポート
4

透析になっても、気持ちは前向きに。運動療法には心を回復させる効果もある

Yさん　60代

Yさんは40代の頃から糖尿病と慢性腎臓病になり、状態が改善しないまま50代で糖尿病性腎症を発症し、60代で人工透析になってしまいました。「いよいよ透析か……」と、Yさんはすっかり落ち込んでしまい、透析に移行した当初は、透析施設に通うのもずっしりと気が重かったといいます。

ただ、その透析施設にはトレーニングルームが併設されていて、腎臓リハビリの運動療法を行なうことのできる環境が整っていたのです。そして、Yさんは「試しにやってみるか」と体を動かしてみたところ、透析後の疲れも少なく済み、なんとなく以前よりも体調がよくなったように感じたのです。以来、Yさんは週3回の透析治療のたびに運動をするほか、自宅でもウォーキングや筋トレなどの運動療法をスタートしました。

すると、血糖値や血圧の数値などが改善するようになり、週3回の透析にも明るい気持ちで前向きに取り組めるように変わっていきました。運動療法には、体を回復させるだけでなく、人の心を回復させる効果もあるのでしょう。Yさんはその効果を示す好例だと思います。

腎臓リハビリテーション ここが知りたい Q&A

Q 腰やひざが痛いときはどうすればいいですか?

A 痛いときはやめておくのが基本

腎臓リハビリの運動療法は、腰痛やひざ痛を予防するのにも役立ちます。ただ、「いま、痛みがある」という場合は、運動療法をやめておくのが基本です。無理に動かすと、かえって腰痛やひざ痛を悪化させてしまう場合もあります。

また、慢性的に腰やひざに不調を抱えている方は、整形外科のドクターとよく相談をしたうえで運動療法をやっていいかどうか、どの程度の運動強度にすればいいのかを決めるようにしてください。

Q 腎臓リハビリは心の健康にもいいのですか?

A 実際に明るくなる方が多いです

心が暗く沈んでいるときに、軽く体を動かすと気持ちがスッキリする人も多いでしょう。腎臓リハビリの運動療法にも、これと同様の効果があると考えられます。

それに、リハビリが進むとともに腎機能が改善したり筋力がついたりすると、「病気がよい方向へ向かっている」「健康が戻ってきている」というよろこびを感じることもできます。実際、運動療法を始めると、表情が明るくなり、イキイキとしてくる方が非常に多いのです。

Q 腎臓リハビリの指導はどこで受けられるのでしょう？

A HP《ホームページ》を参照して受診してください

腎臓リハビリを受けるには、まずインターネットで「日本腎臓リハビリテーション学会」のホームページ（https://jsrr.smoosy.atlas.jp/ja/）を検索してください。そのうえで、腎臓リハビリを実施している近所の医療機関を施設会員一覧から探し、受診してみるといいでしょう。

全国規模で見ると、まだ数が少ないかもしれませんが、それらの医療機関では、運動療法も患者さんの病状や体力に合わせて指導してくれるはずです。ぜひ、お気軽に受診するようにしてみてください。

Q 意志が弱いので続けられる自信がないのですが…

A 「運動記録シート」の活用がおすすめ

「最初はがんばれてもいつも三日坊主で……」という人は多いものですが、その三日坊主を何度も繰り返していけば、だんだん習慣として身についてきます。だから、いったん途切れたとしても、そこであきらめずに再び続けていくようにしてください。

なお、次ページの「運動記録シート」をつけながら腎臓リハビリを行なうと、自分が改善へ向かう過程が分かり、より継続へのモチベーションがアップするはず。ぜひ「腎臓リハビリの友」として活用してください。

月　日(　)	月　日(　)	月　日(　)	月　日(　)
.　kg (　.　%)	.　kg (　.　%)	.　kg (　.　%)	.　kg (　.　%)
朝 mmHg	朝 mmHg	朝 mmHg	朝 mmHg
夜 mmHg	夜 mmHg	夜 mmHg	夜 mmHg
回	回	回	回
歩	歩	歩	歩

腎臓リハビリテーションの運動記録シート

日付	月　　日（　　）	月　　日（　　）	月　　日（　　）
体重（体脂肪率）	.　kg （　.　%）	.　kg （　.　%）	.　kg （　.　%）
朝と夜の血圧	朝 mmHg 夜 mmHg	朝 mmHg 夜 mmHg	朝 mmHg 夜 mmHg
心拍数（拍/分）	回	回	回
腎臓体操　①かかとの上げ下ろし			
腎臓体操　②足上げ			
腎臓体操　③中腰までのスクワット			
腎臓体操　④ばんざい			
ストレッチバンド体操　上半身　①肩回りを鍛える			
ストレッチバンド体操　上半身　②胸と肩を鍛える			
ストレッチバンド体操　上半身　③上半身全体を鍛える			
ストレッチバンド体操　体幹　①腹筋と背筋を鍛える			
ストレッチバンド体操　体幹　②腰の深部を鍛える			
ストレッチバンド体操　下半身　①お尻と太ももを鍛える			
ストレッチバンド体操　下半身　②股関節を鍛える			
ストレッチバンド体操　下半身　③お尻と内ももを鍛える			
腎活性ウォーク（歩数）	歩	歩	歩
コメント			

※コピーしてお使いください。また、QR コードからダウンロードすることもできます。

おわりに

慢性腎臓病は、人をたいへん悩ませる病気です。

なにしろ、知らず知らずのうちに腎機能が低下して、気づいたときにはすでにかなりステージが進行してしまっているケースも少なくないのです。そのうえ、医師から「いずれは透析になるかもしれません」などと言われれば、悩まないほうがおかしいというものでしょう。

きっと、患者さんの胸の中には、「いつかは自分も透析になってしまうのか」「どんどん体が弱ってしまうのだろうか」「仕事はどうしよう」「お金は足りるだろうか」「元の健康体に戻ることはできないのか」といった悩みや不安が常に渦巻いているのではないでしょうか。

さらに、こうした悩みや不安は、どんどん大きく膨らんでいってしまうものです。実際、過去に安静を保つように指導されてきた慢性腎臓病の患者さんの中には、精神的ストレスを膨らませて病状をよけいに悪化させてしまう人も少なくありませんでした。

しかし――

いまは、状況が大きく変わりました。本書をお読みいただいてお分かりのように、慢性腎臓病には（安静ではなく）軽い運動をするほうが有効だと分かり、日々体を動かすことで多くの患者さんが悩みや不安を解消できるようになってきたのです。透析の不安から解放された人、健康体に戻ることも可能なんだと気づいた人、くよくよ悩むよりも体を動かそうとふっ切ることができた人……みなさん、胸の中のもやもやがすっきりした明るい表情で運動療法に励まれています。

私は、そんな数多くの患者さんに接してきて、腎臓リハビリテーションには、体を活気づけ、心を朗らかに解きほぐし、人生を前向きに生きるエネルギーを引き出してくれる、そんな力があると確信しています。

腎臓リハビリテーションは、医療の中ではまだ若い分野であり、日々研究やチャレンジを重ねて成長し続けている分野でもあります。今回、本書では新たな試みとして「ストレッチバンド体操」を中心に紹介したわけですが、非常に有効性の高いメソッドですので、ぜひ習慣として身につけて、慢性腎臓病への悩みや不安をさらに小さくするのに役立てていっていただければと思います。

さあ、みなさんも日々体を動かして、人生を前向きに生きる力を引き出していきましょう。そして、慢性腎臓病に負けることなく、自分の人生を存分に輝かせていくようにしましょう。

上月正博

●上月正博（こうづき・まさひろ）

東北大学名誉教授
公立大学法人山形県立保健医療大学理事長・学長

1956年、山形県生まれ。1981年に東北大学医学部を卒業。メルボルン大学内科招聘研究員、東北大学医学部附属病院助手、同講師を経て、2000年東北大学大学院内部障害学分野教授、2002年東北大学病院リハビリテーション部長（併任）、2008年同障害科学専攻長（併任）、2010年同先進統合腎臓科学教授（併任）。2022年に東北大学名誉教授、公立大学法人山形県立保健医療大学理事長・学長に就任。日本腎臓リハビリテーション学会理事長、国際腎臓リハビリテーション学会理事長、日本リハビリテーション医学会副理事長、日本心臓リハビリテーション学会理事などを歴任。医学博士。日本腎臓学会功労会員、総合内科専門医、腎臓専門医、高血圧専門医、リハビリテーション科専門医。「腎臓リハビリテーション」という新たな概念を提唱し、腎疾患や透析医療にもとづく身体的・精神的影響を軽減させる活動に力を入れている。2018年には腎臓リハビリテーションの功績が認められ、「ハンス・セリエメダル」、2022年には「日本腎臓財団功労賞」を受賞。『腎臓病は運動でよくなる!』（マキノ出版）、『腎機能 自力で強化!腎臓の名医が教える最新1分体操大全』（文響社）など、著書・監修書多数。

〈STAFF〉

撮影	清水隆行（ビーフェイスクリエイティブ）
モデル	東川礼佳（ジャズモデルエージェンシー）
ヘアメイク	カツヒロ（Litt）
イラスト	瀬川尚志
デザイン	森田千秋（Q.design）
編集協力	高橋 明
校正	西進社
DTP	G.B.Design House

腎機能が改善する!
東北大学病院式 腎臓いきいき体操

2022年12月10日　第1刷発行

著　者	上月正博
発行者	永岡純一
発行所	株式会社永岡書店
	〒176-8518　東京都練馬区豊玉上1-7-14
	代表☎ 03（3992）5155　編集☎ 03（3992）7191

ISBN978-4-522-44419-1　C2077